PUZZLE 2

SHADES OF COLOR

I	Q	Z	V	D	O	E	T	A	L	O	C	O	H	C
A	O	C	O	C	L	L	L	T	E	L	R	A	C	S
E	C	S	H	Y	S	A	R	Y	U	O	O	N	R	Y
M	E	E	T	V	B	E	R	T	S	M	B	N	P	R
A	R	E	N	A	D	O	N	E	B	A	B	E	V	R
U	U	Y	S	N	V	A	E	S	M	G	L	H	A	E
V	L	T	E	I	L	I	Y	L	L	E	K	M	D	H
E	E	V	Y	P	E	S	L	U	R	N	D	A	O	C
R	A	R	G	D	G	H	R	I	W	T	M	L	D	N
L	N	G	M	I	N	C	E	M	M	A	R	O	O	N
Z	E	E	K	I	E	U	A	V	S	B	L	L	V	G
T	E	A	L	H	L	F	G	K	I	E	N	N	E	R
T	H	G	I	N	D	I	M	R	S	L	P	L	U	N
K	L	N	R	E	P	P	O	C	U	E	O	I	E	T
D	K	S	H	V	L	Q	S	N	G	B	I	P	A	B

ALABASTER
BURGUNDY
CERULEAN
CHERRY
CHOCOLATE
COCOA
COPPER
DAMASK
DOVE
ECRU
EGGPLANT
EMERALD
FUCHSIA
GOLD
HENNA
IVORY
KELLY
KHAKI
LAVENDER
MAGENTA
MAROON
MAUVE
MIDNIGHT
NAVY
OCHER
OLIVE
ROSE
SALMON
SCARLET
SEPIA
TEAL
VERMILION
WALNUT

PUZZLE 3

HORSE STABLES

O	P	K	T	K	W	G	F	F	G	S	O	S	W	B
J	R	E	E	L	D	D	A	S	O	D	T	L	O	C
L	A	S	L	A	P	T	P	L	S	A	T	R	O	T
M	N	V	B	W	R	U	S	T	L	Y	L	O	A	K
D	C	H	A	R	G	E	R	L	R	O	P	E	C	P
D	E	E	T	S	A	I	C	R	F	V	P	A	S	O
A	R	E	S	S	D	K	U	A	I	X	R	H	M	J
P	E	M	P	E	I	C	H	K	R	T	O	U	W	Z
Z	D	A	A	S	P	R	C	A	B	E	S	P	G	W
N	I	R	L	D	Q	O	E	Q	L	T	Z	A	E	U
S	R	E	I	N	H	P	Y	K	A	T	I	C	L	U
M	T	A	C	K	F	C	C	N	N	T	E	E	D	E
D	A	L	B	A	U	U	G	H	K	H	T	R	I	G
Z	I	N	I	J	B	N	X	R	E	N	I	A	R	T
C	L	O	E	M	O	C	A	N	T	E	R	S	B	N

BARN
BLANKET
BRIDLE
BUCKLE
CANTER
CHARGER
COLT
CROP
CURRY
DAM
FOAL
GAIT
GALLOP
GIRTH
HALTER
HOCK
LAPS
MANE
MARE
MUSTANG
PACER
PRANCE
RACER
REIN
RIDER
ROPE
SADDLE
SHOE
SIRE
SPEED
STABLE
STALL
STEED
STIRRUP
STRAP
STRIDE
TACK
TAIL
TEAM
TRACK
TRAINER
TROT
WALK

PUZZLE 4

GROWING TEA

BEVERAGE
BLACK
BURMA
BUSHY PLANT
CEREMONIAL
CHINA
CLIMATE
CONGOU
DARJEELING
HAND-
PLUCKED
HARDY
HERBAL
HOT TEA
HYSON
ICED TEA

D	G	U	O	G	N	O	C	E	T	A	M	I	L	C
M	I	N	T	N	U	S	A	D	A	E	T	T	O	H
B	A	H	O	I	T	H	A	I	L	A	N	D	E	S
B	T	N	A	L	P	Y	H	S	U	B	K	R	O	A
S	E	Z	T	E	O	G	W	R	S	C	B	U	B	O
N	O	V	K	E	T	O	A	I	A	A	C	H	Z	C
V	F	I	E	J	I	S	Q	L	L	H	F	A	E	Y
G	R	Q	L	R	G	V	B	A	O	E	L	R	J	R
B	A	O	M	A	A	X	M	N	O	K	E	D	A	E
Z	Y	M	B	D	C	G	G	K	C	M	A	Y	S	S
C	N	A	R	A	F	I	E	A	O	A	F	R	M	R
D	E	K	C	U	L	P	D	N	A	H	B	H	I	U
T	K	W	H	G	B	Q	I	I	B	S	U	S	N	N
I	C	E	D	T	E	A	T	H	T	R	D	D	E	V
M	J	M	K	X	L	A	B	C	H	Y	S	O	N	G

JASMINE
KENYA
LABOR
LEAF BUDS
MINT

NURSERY
OOLONG
PEKOE
SASSAFRAS
SOIL ACIDITY

SOUCHONG
SRI LANKA
TEA BAGS
THAILAND
VIETNAM

PUZZLE 5

YEARBOOK SEASON

S	N	S	E	I	T	I	L	I	C	A	F	P	S	R
C	R	E	M	A	R	T	S	E	H	C	R	O	E	S
A	L	O	M	A	Q	S	S	F	U	T	N	L	R	Z
M	R	M	I	H	E	J	H	P	S	I	D	E	U	E
P	G	E	G	N	S	T	P	O	T	V	C	N	T	B
U	H	M	I	N	U	E	A	D	A	I	E	L	A	N
S	A	O	U	F	I	J	R	N	F	T	F	S	N	B
T	R	R	T	F	X	M	G	F	F	I	K	E	G	S
S	W	I	A	O	A	A	O	I	P	E	J	S	I	T
R	M	E	S	D	G	C	T	C	T	S	N	S	S	N
H	K	S	S	D	N	R	U	B	E	A	V	A	E	E
P	R	I	N	C	I	P	A	L	L	M	V	L	C	D
B	A	S	E	B	A	L	L	P	T	W	O	C	N	U
K	Y	J	C	C	L	U	B	S	H	Y	M	H	A	T
U	S	E	R	O	M	O	H	P	O	S	E	X	D	S

ACTIVITIES
ADS
AUTOGRAPHS
BAND
BASEBALL
BASKETBALL
CAMPUS
CLASSES
CLUBS
DANCES
FACILITIES
FACULTY
FRESHMEN
HOMECOMING
JUNIORS
MEMORIES
OFFICERS
ORCHESTRA
PHOTOGRAPHS
PLANS
PRINCIPAL
PROM
SENIORS
SIGNATURES
SOPHOMORES
STAFF
STUDENTS
TEAMS

A LOOK AT AFRICA

J	T	D	Z	J	J	D	N	A	L	I	Z	A	W	S
U	H	P	Y	E	S	S	I	M	M	Q	M	U	Q	L
A	P	N	Y	P	E	P	Q	O	T	A	F	A	R	M
E	R	A	N	G	O	L	A	Z	D	M	O	I	L	D
B	R	A	S	I	E	R	R	A	L	E	O	N	E	Z
U	U	I	H	A	G	V	G	M	B	H	R	A	X	O
R	D	T	O	A	E	A	Z	B	O	O	W	Z	N	G
K	E	J	M	V	S	N	T	I	Y	P	A	N	A	O
I	N	B	I	C	I	N	I	Q	M	Y	N	A	D	T
N	I	Y	A	B	C	D	R	U	N	B	D	T	U	X
A	L	R	X	N	O	Z	E	E	G	L	A	N	S	J
F	A	D	N	A	G	U	K	T	T	H	I	B	Z	G
A	C	I	R	F	A	H	T	U	O	S	A	X	W	M
S	C	T	E	D	A	H	C	I	I	C	E	N	T	E
O	N	A	L	G	E	R	I	A	H	J	A	W	A	P

ALGERIA
ANGOLA
BURKINA FASO
CHAD
COTE D'IVOIRE
DJIBOUTI
EGYPT
ETHIOPIA
GAMBIA
GHANA
GUINEA
KENYA
MADAGASCAR
MOZAMBIQUE
RWANDA
SIERRA LEONE
SOUTH AFRICA
SUDAN
SWAZILAND
TANZANIA
TOGO
TUNISIA
UGANDA
WESTERN SAHARA
ZIMBABWE

PUZZLE 7

APRIL 15TH

R	E	T	L	E	H	S	K	R	L	L	O	C	A	L
V	F	D	D	H	X	M	E	I	E	S	I	C	X	E
G	O	V	E	R	N	M	E	N	T	F	C	R	S	D
Y	R	S	F	D	O	N	S	U	R	O	U	A	P	T
Q	M	L	X	C	U	E	T	A	U	U	L	N	Y	A
R	S	L	N	S	S	C	A	N	U	E	T	L	D	Y
O	R	I	F	N	F	I	T	P	S	D	P	E	T	V
T	I	B	E	O	Y	A	T	I	C	M	I	L	R	E
J	T	P	D	I	N	T	O	E	O	I	A	T	S	L
V	X	G	E	T	N	L	R	C	M	N	E	G	S	F
E	V	L	R	P	Y	K	N	E	E	I	S	I	E	Z
I	I	X	A	M	G	K	E	P	P	R	Z	D	S	X
F	J	C	L	E	J	A	Y	W	F	O	G	E	S	W
E	E	W	O	X	Y	R	U	S	A	E	R	T	A	F
X	L	F	A	E	T	A	T	S	W	A	L	P	Z	Y

ACCOUNTANT
APRIL
ASSESS
ATTORNEY
AUDIT
BILLS
COMPLY
CPA
DEDUCTIONS
EXCISE
EXEMPTIONS
EXPENSES
FEDERAL
FILE
FORMS
GOVERNMENT
INCOME
IRS
ITEMIZE
LAWS
LEVY
LIEN
LOCAL
OWE
PENALTY
PROPERTY
REFUND
RETURN
SALES
SHELTER
STATE
TREASURY

PUZZLE 8

IT'S TIME

Z	H	F	S	R	E	N	D	I	N	G	P	A	F	J
Q	V	T	H	M	D	U	M	F	G	N	D	I	C	E
R	G	N	I	N	R	O	M	S	V	O	I	G	L	F
T	Q	T	F	A	N	O	O	N	I	O	I	D	Q	S
Z	V	K	T	T	E	R	M	R	L	M	D	E	S	S
H	E	I	A	H	C	U	E	O	N	I	S	R	T	B
P	O	D	M	E	U	P	N	E	M	N	B	P	B	F
N	V	U	A	A	R	R	T	Y	U	E	S	A	A	E
Y	D	L	R	C	R	B	S	R	T	G	E	L	I	N
M	A	Z	E	M	E	C	A	D	U	G	L	B	L	H
N	T	D	O	R	N	D	H	S	A	A	C	L	N	L
N	E	N	N	E	T	E	D	S	P	Y	Y	K	S	H
V	T	C	L	O	C	K	S	S	L	Q	C	S	G	I
H	K	E	E	W	M	A	E	P	O	C	H	P	B	W
U	I	Q	Z	C	P	X	U	R	E	M	M	U	S	B

AUTUMN
BREAK
CLOCK
CURRENT
CYCLE
DATE
DECADE
DURATION
ENDING
EPOCH
FALL
HOUR
LAPSE
MARCH
MIDDLE
MOMENT
MONDAY
MONTH
MOON
MORNING
NOON
PASSAGE
PERIOD
SHIFT
SLIP
SPAN
SUMMER
TERM
THURSDAY
TIME
WEEK

PUZZLE 9

SUPERMARKET

V	S	R	P	U	O	S	P	E	C	I	A	L	S	B
E	F	R	S	C	O	U	P	O	N	S	F	D	F	A
G	G	R	A	D	J	S	N	B	O	J	E	O	O	G
E	D	G	U	J	O	D	S	A	Q	W	M	O	F	S
T	P	O	S	O	I	O	P	H	B	A	C	F	Z	A
A	O	F	O	M	L	O	G	S	E	L	P	A	T	S
B	U	T	E	F	B	F	T	R	E	L	E	E	E	J
L	L	N	J	I	T	N	C	R	E	C	V	S	V	K
E	T	J	N	D	Z	E	K	E	U	P	E	E	N	C
S	R	S	N	A	C	Z	P	D	R	E	A	F	S	Z
H	Y	Q	C	I	F	O	O	K	H	E	J	P	L	I
K	D	A	E	R	B	R	L	C	T	E	A	I	K	O
V	K	C	U	Y	P	F	R	O	A	I	S	L	E	S
E	L	I	N	E	S	R	U	T	E	R	I	E	L	K
Q	T	P	H	G	E	A	F	S	M	M	T	D	D	U

AISLES
BAGS
BINS
BREAD
CAKE
CANS
CART
CEREAL
CHEESE
CLERK
CONDIMENTS
COUPONS
DAIRY
DELI
EGGS
FLOUR
FROZEN FOODS
FRUIT
ICE CREAM
JARS
LINES
MEAT
MILK
PAPER GOODS
PET FOOD
POULTRY
PRODUCE
SEAFOOD
SHELVES
SOAP
SODA
SOUP
SPECIALS
STAPLES
STOCK
VEGETABLES

PUZZLE 10

MEASURE MARATHON

V	N	M	I	C	R	O	N	I	D	N	U	O	P	K
M	U	I	Q	Z	T	O	B	M	D	N	O	C	E	S
X	Q	R	V	U	L	T	E	I	G	U	U	I	R	R
G	R	U	H	L	A	T	A	L	E	D	N	A	C	L
C	L	Q	A	H	E	D	Z	W	G	C	C	B	E	A
N	E	G	N	R	E	K	R	K	H	E	E	H	N	G
A	O	S	W	F	T	C	N	A	E	G	S	G	T	N
I	H	O	R	B	A	S	T	E	N	U	S	E	S	O
D	V	R	P	A	M	T	R	A	B	T	T	T	Q	L
A	K	H	J	S	P	G	H	Q	R	A	N	U	I	R
R	E	W	O	P	E	S	R	O	H	E	I	N	V	U
E	A	Z	U	D	R	L	M	I	M	N	P	I	M	F
T	L	T	L	A	E	R	B	I	T	N	X	M	L	S
S	K	O	E	H	L	T	E	A	S	P	O	O	N	P
G	R	A	M	S	A	R	L	I	T	E	R	A	C	W

AMPERE
ANGSTROM
BUSHEL
CANDELA
DEGREE
FATHOM
FURLONG
GALLON
GRAM
HECTARE
HORSEPOWER
INCH
JOULE
KELVIN
LITER
METER
MICRON
MINUTE
MOLE
OUNCE
PARSEC
PERCENT
PINT
POUND
QUADRANT
QUART
QUINTAL
SECOND
STERADIAN
TABLESPOON
TEASPOON
WATT

PUZZLE 11

MY NAME IS...

M	U	Y	E	J	I	A	M	A	O	G	D	E	N	Z
B	R	U	J	T	I	O	O	Q	D	T	Q	U	A	K
H	S	E	M	L	T	D	N	H	S	R	C	S	V	R
A	U	L	E	B	A	E	L	E	M	I	I	T	I	E
R	L	M	N	R	E	D	N	A	X	E	L	A	T	N
P	A	E	I	H	I	R	H	N	B	K	F	C	N	I
O	E	R	L	R	E	A	T	X	A	I	A	E	S	L
R	D	C	E	Z	R	E	A	O	I	K	H	A	L	E
N	E	N	D	B	U	N	S	G	L	L	D	C	D	G
E	E	N	A	G	I	B	A	I	L	O	I	P	R	N
T	U	S	E	L	A	T	T	E	R	E	V	E	T	A
T	X	N	O	L	R	A	N	A	I	P	M	Y	L	O
E	E	G	M	M	R	O	R	V	I	L	L	E	T	F
Z	U	D	A	L	L	A	J	O	T	I	S	M	B	P
F	I	S	R	A	Z	Z	Y	G	N	I	V	R	I	H

AARON
ABEL
ABRAHAM
ADELINE
ADRIAN
AGIBAIL

ALEXANDER
AMELIA
ANGELINE
ANNETTE
ARCHIBALD
ARLENE

ELMER
ERNEST
EUGENE
EUSTACE
EVERETT
ILIE
ILKA
IONE
IRENE
IRVING
ISADORA
IVAN
OGDEN
OLYMPIA
OMAR
OPRAH
ORLANDO
ORNETTE
ORVILLE
OTIS
UDALL
UGOLINA
UMBERTO
URSULA

PUZZLE 12

INDIAN OCEAN ISLANDS

A	F	L	E	R	O	M	H	S	A	O	R	R	M	G
L	E	S	C	Y	Y	E	V	I	D	A	C	C	A	L
D	E	O	N	T	L	A	C	E	P	E	D	E	U	L
A	R	A	E	W	O	B	L	C	C	O	M	O	R	O
B	G	C	D	R	D	O	R	R	E	L	C	M	I	D
R	N	W	I	H	M	E	P	Q	I	A	E	A	T	G
A	O	R	V	S	I	Y	K	D	N	N	D	L	I	R
H	L	D	O	T	V	B	S	N	T	F	S	D	U	J
Y	E	C	R	T	I	Q	A	A	A	O	Y	I	S	A
U	O	A	P	I	I	G	W	R	G	M	T	V	D	V
B	C	C	R	N	G	A	Q	A	R	A	A	E	I	A
I	U	V	I	D	I	U	H	T	M	O	L	D	H	V
D	M	A	H	N	H	C	E	G	C	E	W	A	N	M
A	S	V	Z	A	I	X	D	S	A	W	U	A	M	A
H	K	B	R	Z	X	M	N	O	I	N	U	E	R	Y

ADELE
ALDABRA
ANDAMAN
ASHMORE
BARROW
CARTIER
CHAGOS
COMORO
COSMOLEDO
DORRE
FARQUHAR
HADIBU
HEARD
JAVA
LACCADIVE
LACEPEDE
LONG REEF
MALAGASY
MALDIVE
MAURITIUS
MENTAWAI
MINICOY
NIAS
PROVIDENCE
REUNION
RODRIGUES
ROTI
SAWU

SAVE THE ANIMALS

E	D	R	E	T	T	O	T	N	A	I	G	H	L	O
T	S	E	H	V	E	G	O	R	I	L	L	A	H	X
I	X	I	X	I	N	T	U	Z	N	Z	Y	P	T	C
K	Y	K	O	S	N	M	I	A	Q	S	C	F	L	H
L	R	H	X	T	E	O	T	G	A	H	A	W	K	I
I	O	N	K	L	R	U	C	N	E	P	D	P	V	M
A	R	Q	T	A	G	O	D	E	I	R	I	A	R	P
N	E	H	U	N	K	U	T	E	R	L	V	N	O	A
S	D	Y	A	H	C	A	U	I	E	O	R	D	D	N
B	W	R	K	K	H	P	P	O	H	T	S	A	N	Z
C	O	U	G	A	R	A	P	O	T	K	A	J	O	E
E	L	S	N	D	R	A	M	W	N	H	K	N	C	E
P	F	L	Q	B	R	M	D	U	A	T	E	N	A	A
E	K	A	Y	D	L	I	W	X	P	N	U	M	C	M
T	O	L	E	C	O	K	P	J	E	R	C	F	L	Z

CHEETAH
CHIMPANZEE
CONDOR
COUGAR
GIANT OTTER
GORILLA
HAWK
KAKAPO
LAYSAN DUCK
LEMUR
LEOPARD
MANATEE
NENE
OCELOT
ORANGUTAN
ORYX
PANDA
PANTHER
PRAIRIE DOG
PUMA
RED WOLF
RHINOCEROS
SNAIL KITE
TIGER
TORTOISE
WILD YAK

PUZZLE 14

A DAGWOOD SANDWICH

G	D	L	I	C	V	R	P	E	P	P	E	R	S	E
T	O	A	S	T	B	T	O	T	A	M	O	T	N	O
C	Q	F	E	T	F	X	A	L	T	F	U	I	D	F
R	U	P	O	R	E	H	Y	F	L	C	D	M	R	B
V	E	C	B	L	P	L	P	S	D	R	I	Y	A	M
A	S	T	U	N	A	S	A	L	A	D	L	C	T	B
S	E	E	T	M	P	C	O	S	F	L	O	I	S	R
S	V	W	L	U	B	C	L	S	E	N	M	N	U	E
B	I	I	E	K	B	E	Y	J	E	K	U	O	M	A
C	L	Z	T	K	C	T	R	S	B	E	F	T	N	D
P	O	X	T	O	D	I	U	D	T	I	O	G	W	J
B	C	T	U	B	L	P	P	N	S	U	O	B	Q	U
F	M	L	C	Y	O	Q	A	H	A	L	O	X	D	G
F	T	A	E	M	K	R	A	D	O	E	E	V	U	U
Z	Z	S	L	W	H	T	K	B	R	S	P	K	N	Z

BACON
BOLOGNA
BREAD
COLD CUTS
CUCUMBER
DARK MEAT
FISH
HERO
JELLY
LAMB
LETTUCE
MUSTARD
OLIVES
PEANUT BUTTER
PEPPERS
PICKLES
ROAST BEEF
ROLL
SALMON
SALT
SARDINE
SPREAD
TOAST
TOMATO
TUNA SALAD

PUZZLE 15

DEPRESSION-ERA GLASS

W	A	T	E	R	F	O	R	D	N	H	O	S	R	M
S	I	S	T	N	R	C	L	A	D	R	S	T	D	I
D	P	R	A	H	O	M	T	Q	A	A	G	I	E	L
F	A	E	I	L	G	T	G	I	L	N	A	U	V	K
A	F	I	O	S	A	I	N	G	I	N	C	R	I	G
E	J	R	S	H	S	D	L	R	A	H	I	F	S	L
L	S	U	N	Y	R	A	S	R	E	V	I	N	N	A
R	S	A	B	O	V	P	L	R	A	D	V	R	E	S
E	M	T	P	I	O	H	R	G	K	T	O	T	P	S
V	M	S	N	E	L	Y	J	E	N	U	S	M	X	P
O	A	R	M	I	B	E	U	G	S	I	W	V	E	I
L	A	A	I	E	T	X	E	N	H	S	T	M	N	R
C	C	O	R	O	N	A	T	I	O	N	E	A	I	A
F	O	R	T	U	N	E	U	Q	A	P	O	D	S	L
F	Y	W	Y	E	M	O	L	D	S	E	P	A	H	S

ADAM
ANNIVERSARY
CAMEO
CARNIVAL
GLASS
CHERRYBERRY
CLOVERLEAF
COLORS
CORONATION
DAISY
DIANA
FORTUNE
FRUITS
HARP
INEXPENSIVE
IRIS
JUBILEE
MANHATTAN
MILK GLASS
MODERNTONE
MOLDS
OPAQUE
PRESSED
RAINDROPS
RING
SATIN GLASS
SHAPES
SPIRAL
STARLIGHT
TINTS
WATERFORD

PUZZLE 16

FROM "PERPENDICULAR"

P	R	I	C	E	K	Q	L	Q	H	O	N	B	G	I
O	L	E	N	I	F	A	X	R	L	R	E	P	P	U
G	A	A	S	C	D	D	C	R	E	E	D	G	R	W
P	L	N	D	E	R	L	A	L	Z	R	P	P	D	J
P	A	W	N	E	C	E	U	E	E	E	U	A	I	U
L	A	C	C	X	P	N	N	P	L	A	D	N	C	N
L	A	A	E	F	A	L	A	N	E	P	R	I	U	C
K	R	N	V	R	G	C	P	D	D	R	A	C	L	L
R	L	X	C	H	Q	U	P	V	I	D	I	H	P	E
E	D	U	L	E	N	I	L	A	R	I	N	P	E	R
P	O	S	R	E	Z	M	E	R	P	A	Z	O	E	C
E	R	E	L	I	C	P	I	U	V	L	V	D	R	N
L	E	N	A	P	D	C	N	C	M	P	L	E	C	C
I	D	M	R	L	E	A	R	N	C	E	P	X	F	P
R	E	D	I	R	F	Y	D	I	N	E	R	L	G	K

ALINE
APPLE
CAPER
CLEAR
CREED
CREEP
CREPE
DANCE
DINER
DRAIN
ELDER
ELIDE
ELUDE
INCUR
LADEN
LANCE
LEARN
LUCID
LUNAR
LURID
PANEL
PANIC
PEARL
PEDAL
PENAL
PLAID
PLANE
PLEAD
PRICE
PRIDE
RACER
RECAP
RELIC
REPEL
RERUN
RICER
RIDER
RIPEN
UNCLE
UPPER

PUZZLE 17

GARFIELD

S	N	D	Y	E	K	W	A	D	W	R	E	Y	G	T
U	A	D	V	Y	S	R	D	Y	U	O	O	R	V	E
D	M	F	P	U	L	F	J	P	Z	B	T	U	G	K
H	L	S	T	E	P	X	O	J	C	A	Z	C	O	Z
E	I	D	N	Y	X	W	V	O	U	N	L	Y	L	O
U	A	E	K	P	T	S	D	N	D	S	B	S	D	L
X	M	O	Z	J	B	H	T	A	I	L	C	P	E	A
J	O	K	E	S	P	I	Q	R	W	E	I	E	N	M
P	I	R	E	N	N	I	D	B	I	E	E	G	W	R
S	X	M	I	G	V	O	V	U	S	P	A	W	S	E
Z	H	M	D	Q	X	U	Z	C	G	S	E	L	L	N
R	I	G	O	A	K	G	E	K	A	C	L	S	M	T
D	C	L	U	M	V	B	P	L	A	Y	F	U	L	Y
N	A	I	R	A	N	I	R	E	T	E	V	Q	B	A
E	T	S	P	D	L	B	S	E	Y	E	G	I	B	L

JIM DAVIS
JOKES
JON ARBUCKLE
LASAGNA
LAUGHS
LAZY
MAILMAN
MOM
NERMAL
ODIE
PAWS
PET
PIES
PLAYFUL
POOKY
SLEEP
STRIPES
TAUNTING
VETERINARIAN

ARLENE
BIG EYES
CAKE
CAT
DAD

DINNER
DOC BOY
DR. LIZ
FOOD
GOLDEN

PUZZLE 18

TENNIS MATCH

S	I	N	G	L	E	S	W	B	V	N	N	W	A	L
C	L	G	T	M	E	J	A	E	O	V	U	D	A	A
D	O	E	T	L	C	S	C	D	L	T	D	H	D	N
D	A	S	B	O	E	N	E	L	L	C	N	V	P	O
M	F	U	C	L	U	L	R	U	E	T	A	M	A	I
T	O	Q	I	O	B	R	A	J	Y	N	H	T	R	S
D	R	N	B	M	R	F	N	L	T	F	K	E	T	S
X	E	E	I	T	F	E	U	A	L	E	C	K	N	E
T	S	W	K	B	N	O	G	W	M	A	A	C	E	F
N	T	R	U	O	C	E	R	O	F	E	B	A	R	O
I	H	X	L	Y	R	H	N	E	I	E	N	R	Q	R
O	I	G	Q	B	E	T	O	O	H	K	Y	T	C	P
P	L	A	Y	E	R	E	S	P	P	A	M	D	U	S
F	L	M	D	A	V	I	S	C	U	P	N	X	Q	V
B	S	E	R	V	E	F	R	A	Q	Z	O	D	X	X

ADVANTAGE
AMATEUR
BACKHAND
BALL
BASELINE
BOUNCE
CHOP
DAVIS CUP
DOUBLES
FAULT
FORECOURT
FOREHAND
FOREST HILLS
GAME
LAWN
OPPONENT
PARTNER
PLAYER
POINT
PROFESSIONAL
RACKET
SCORE
SERVE
SINGLES
STROKE
TEAM
TOURNAMENT
VOLLEY
WIMBLEDON

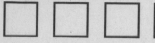

PUZZLE 19

INSURANCE

H	P	U	O	R	G	O	L	C	G	E	J	N	M	X
T	N	A	M	E	S	E	I	T	R	A	P	O	V	Z
L	I	W	A	I	V	E	R	I	N	L	V	A	P	E
A	H	B	S	A	A	A	F	M	Y	E	L	V	C	C
E	S	R	R	I	E	L	S	H	R	U	M	I	P	Y
H	A	T	T	G	N	I	C	S	E	E	T	Y	H	N
Y	C	I	L	O	P	T	N	M	E	C	T	C	A	A
D	E	C	R	E	A	S	E	J	A	P	O	N	G	P
O	O	R	E	F	E	D	F	R	U	E	D	E	Y	M
L	E	F	Y	E	I	M	P	S	E	R	S	G	A	O
I	I	G	O	C	D	L	D	J	T	S	Y	A	F	C
F	B	A	A	E	A	O	E	Z	S	O	T	U	A	O
E	B	L	B	M	O	P	T	I	O	N	R	R	R	V
A	E	T	G	L	A	R	A	Z	W	A	L	M	M	E
X	I	F	F	A	E	D	D	F	A	L	A	L	H	R

AFFIX
AGENCY
AGES
AUTO
CASH IN
CLAIM
COMPANY
COVER
DAMAGE
DATE
DEBT
DECREASE
DEFER
FARM
FIRE
FLOOD
GROUP
HEALTH
INJURY
INTEREST
LIABLE
LIFE
MALPRACTICE
MEDICAL
MOVERS
OPTION
PARTIES
PAYMENT
PERSONAL
POLICY
SAVE
STORM
TERM
TRAVEL
VALUE
WAIVER

PUZZLE 20

MAP OF MARS

V	S	N	S	K	S	T	E	S	I	H	C	A	O	N
H	I	E	I	B	A	O	M	R	T	N	E	L	A	E
T	L	L	T	O	T	U	T	A	I	N	O	S	U	A
O	O	Y	N	A	I	R	C	A	I	D	X	N	X	I
H	E	S	O	R	R	T	H	M	I	E	A	L	R	W
T	A	I	P	Y	A	H	M	E	M	N	O	N	I	A
E	E	U	O	H	L	T	P	Z	S	A	O	R	I	Y
M	R	M	R	P	C	V	A	U	I	P	W	D	E	A
P	I	Y	P	E	H	I	D	D	E	K	E	L	Y	M
E	A	A	D	Z	P	J	A	A	U	R	E	R	P	C
C	P	O	N	O	Y	C	R	Y	Y	C	O	H	I	A
L	M	O	L	U	R	B	Z	G	T	L	I	B	Y	A
A	N	C	X	A	M	F	R	R	Z	S	H	Z	T	Z
H	Y	R	Z	U	Q	A	I	P	O	T	U	X	N	B
C	V	D	N	X	S	S	J	N	Y	E	O	S	U	Y

AEOLIS
AERIA
ARCADIA
ARGYRE
ARNON
AUSONIA
CHALCE
CLARITAS
CYCLOPIA
CYDONIA
DIACRIA
EDOM
ELECTRIS
ELYSIUM
ERIDANIA
EUPHRATES
HESPERIA
HIDDEKEL
JAMUNA
LIBYA
MEMNONIA
MEROE
MOAB
NOACHIS
OXUS
PHISON
PROPONTIS
TEMPE
THOTH
UMBRA
UTOPIA
ZEPHYRA

PUZZLE 21

PLAYING BASKETBALL

W	S	R	D	R	I	B	B	L	E	L	V	P	A	G
X	B	E	Z	Z	Z	D	K	S	E	I	X	W	M	K
X	O	P	A	S	S	C	N	I	T	N	Y	G	O	W
E	L	M	O	S	O	E	H	Q	M	E	N	K	M	L
G	O	U	K	L	F	C	O	U	J	I	K	E	C	F
C	H	J	C	F	L	O	O	R	M	K	S	S	A	B
F	H	F	O	U	L	A	K	I	E	C	C	S	A	C
D	R	A	O	B	K	C	A	B	E	O	T	L	I	B
N	E	E	R	J	C	H	W	S	R	L	L	S	E	W
P	R	F	E	G	G	I	J	I	E	B	U	L	V	H
I	O	M	E	T	E	N	N	Q	F	L	Z	V	I	Q
K	A	O	E	N	H	G	D	U	E	G	U	A	R	D
G	Y	M	H	C	S	R	X	M	R	N	L	R	D	E
S	T	E	N	C	A	E	O	E	D	I	S	T	U	O
W	B	L	A	W	X	P	U	W	C	X	Z	O	Z	R

AIMING
BACKBOARD
BALL
BASKETS
BLOCK
CHARGE
CLOCK
COACHING
DEFENSE
DRAW
DRIBBLE
DRIVE
FAST
FLOOR
FOUL
FREE THROW
GAME
GUARD
GYM
HOOK
HOOP
JUMPER
LINE
LOBS
MISS
NETS
OFFENSE
OUTSIDE
PACE
PASS
REFEREE
RULES
RUN
SCORING

PUZZLE 22

SPRING FASHIONS

K	F	D	C	V	K	N	W	A	L	I	N	E	Z	W
C	L	S	L	N	C	L	A	S	S	I	C	S	K	F
R	O	I	I	W	E	S	E	U	Q	I	P	P	L	N
E	J	T	S	L	O	Y	A	R	G	L	R	A	E	P
P	S	E	T	I	V	H	E	E	L	S	R	D	H	N
E	M	S	O	O	L	E	S	S	S	E	A	R	T	E
O	Y	I	D	S	N	H	R	N	D	W	Y	I	N	N
T	S	M	A	Q	L	E	O	S	O	X	O	L	E	I
U	A	E	K	M	S	A	K	U	S	I	N	L	C	L
N	D	H	L	U	O	I	D	N	E	R	H	E	K	B
I	U	C	O	O	R	D	I	N	A	T	E	S	L	L
C	S	R	P	T	G	U	E	M	A	F	T	E	A	C
L	T	J	A	O	Q	B	E	L	L	S	N	E	C	F
X	E	S	L	E	T	S	A	P	S	D	U	Y	E	T
K	R	D	S	R	H	L	Y	C	S	F	F	U	C	X

A-LINE
BLENDS
CHEMISE
CLASSICS
COORDINATES
COTTON
CREPE
CUFFS
DUSTER
ESPADRILLES
FASHION SHOW
FLARED SKIRT
GOLD
HAT
HEELS
KNITS
LINEN
MESH
MODELS
NECKLACE
PASTELS
PEARL GRAY
PIQUES
POLKA DOTS
RAYON
SANDALS
SEQUINS
SILHOUETTE
SILK
SILVER
TROUSERS
TUNIC

DYNAMIC DUOS

U	F	B	Y	C	E	K	N	A	Z	R	A	T	C	Y
G	L	L	A	H	R	D	R	B	B	L	P	J	C	D
E	D	Y	L	C	I	T	U	O	L	E	S	U	C	N
B	I	B	O	G	A	R	T	E	M	S	R	H	R	I
I	U	C	F	P	T	L	N	E	E	R	E	T	F	M
L	D	R	O	O	S	P	L	V	I	R	G	T	U	U
L	E	E	N	S	A	U	I	E	R	R	O	N	A	E
U	L	R	D	S	T	A	R	S	K	Y	R	B	N	O
C	N	R	U	B	P	E	H	R	B	A	X	A	I	H
Y	Y	D	R	A	H	I	L	S	B	B	J	I	H	N
K	N	V	H	T	L	N	O	L	H	B	S	L	U	I
C	D	O	R	M	A	R	I	O	O	O	P	E	T	G
I	Z	A	T	A	C	E	W	D	N	T	P	Y	C	I
R	C	B	O	N	N	I	E	N	O	T	E	E	H	U
Y	R	O	L	Y	A	T	Y	E	I	Z	Z	O	E	L

CROSBY
HOPE
LAUREL
HARDY
LUCY
RICKY
OZZIE
HARRIET
SONNY
CHER
TARZAN
JANE
TRACY
HEPBURN
STARSKY
HUTCH
ANTONY
CLEOPATRA
BERT
ERNIE
BILL
TED
CURRIER
IVES
HALL
OATES
MORK
MINDY
MARIO
LUIGI

ABBOTT
COSTELLO
ASTAIRE
ROGERS
BARNUM
BAILEY
BATMAN
ROBIN

BOGART
BACALL
BONNIE
CLYDE
BURNS
ALLEN
BURTON
TAYLOR

PUZZLE 24

A DOLL'S HOUSE

W	C	G	C	L	H	A	L	L	S	O	J	D	P	D
A	O	E	S	T	A	I	R	C	A	S	E	R	A	O
S	T	D	G	L	O	M	G	S	C	R	E	E	N	O
C	E	T	N	N	I	O	P	H	L	I	R	S	E	F
O	P	T	I	I	A	A	L	S	B	P	W	S	V	C
N	S	A	T	C	W	R	R	S	S	O	V	E	O	I
C	E	K	N	E	L	L	O	D	L	A	Y	R	D	T
E	H	C	I	S	E	F	E	L	N	R	I	O	Z	S
A	S	O	A	A	Y	B	I	D	O	A	O	O	E	A
E	I	L	P	R	M	P	I	C	H	R	H	F	M	L
S	D	C	T	I	R	R	K	C	S	L	E	N	A	P
M	S	N	R	O	O	E	R	I	O	M	R	A	R	Z
O	E	R	O	N	R	W	T	A	B	L	E	F	F	M
O	O	L	S	T	E	P	R	A	C	O	T	O	Y	J
R	F	L	E	H	S	I	N	K	B	Y	K	S	E	D

ANDIRONS
ARMOIRE
ATTIC
BEDSPREAD
CARPETS
CHAIR
CLOCK
DESK
DISHES
DOLL
DOORS
DRESSER
ENTRY
FLOOR
FRAME
HALLS
HANDRAILS
HIGHBOY
LAMPS
MIRROR
OVEN
PAINTINGS
PANELS
PANS
PILLOWS
PLASTIC FOOD
RANGE

ROCKER
ROOF
ROOMS
SCONCE
SCREEN
SETTEE
SHELF

SINK
SOFA
STAIRCASE
TABLE
TERRACE
TOOLS
WINDOW

PUZZLE 25

LET IT PASS

E	U	N	I	T	N	O	C	L	R	O	S	K	P	Z
I	E	E	N	A	C	T	S	Q	Z	G	S	Z	O	Q
D	T	U	A	E	W	U	P	V	E	R	O	N	G	I
E	G	R	A	H	C	S	I	D	K	O	T	D	B	P
E	L	S	A	C	D	E	L	I	A	F	T	N	O	D
C	E	B	E	B	I	D	O	N	T	B	I	D	H	O
X	O	E	A	L	S	G	R	F	R	R	G	A	I	N
E	D	M	M	T	A	T	L	E	E	E	N	I	Y	T
X	E	O	P	J	P	R	A	F	V	D	F	F	V	B
C	V	D	O	L	P	E	S	I	O	I	I	F	W	E
E	O	U	A	J	E	N	C	V	N	L	L	O	O	T
L	R	N	A	E	A	T	E	C	A	H	C	E	O	H
P	P	Q	V	R	R	R	E	U	A	C	H	C	D	M
L	P	X	T	E	F	P	Q	P	U	E	S	A	E	K
B	A	G	O	B	Y	A	S	R	E	U	B	D	H	J

DON'T BET
DON'T BID
DON'T FAIL
EASE UP
ENACT
EXCEED
EXCEL
FORGO
GIVE
GO BY
HAND OVER
IGNORE
MOVE
OCCUR
OFFER
OVERTAKE

ABSTAIN
APPROVE
BE ACCEPTABLE
CEASE
COMPLETE

CONTINUE
CONVEY
DELIVER
DISAPPEAR
DISCHARGE

QUALIFY
SPREAD
SUCCEED
TOSS
TRANSFER

PUZZLE 26

AFTER "POST"

Z	M	N	D	V	S	E	N	T	X	O	T	I	M	E
R	S	T	R	E	Y	H	W	N	J	X	A	U	I	E
S	I	I	A	P	A	C	N	C	G	S	K	K	S	M
M	N	S	C	R	L	A	I	T	P	U	N	M	T	A
A	O	Q	V	Y	T	T	E	T	A	U	D	A	R	G
N	I	E	S	A	A	L	P	T	O	C	V	K	E	P
G	S	R	L	M	O	D	R	I	S	N	R	N	S	H
T	S	M	U	H	E	P	I	M	R	A	P	U	S	T
D	E	A	G	E	C	D	A	L	M	C	H	Y	O	X
Q	R	E	T	S	A	M	A	I	O	Z	S	L	H	B
T	P	B	C	O	R	I	F	D	D	H	M	F	O	F
I	M	D	R	I	C	P	O	N	E	R	X	X	R	R
K	I	N	A	A	F	E	N	T	R	Y	A	A	S	Y
C	Z	A	L	T	K	F	H	C	N	U	A	L	E	I
U	N	G	E	B	E	M	O	Z	J	E	Q	I	C	U

AGE
AND-BEAM
BOX
CARD
DATE
ENTRY
GAME
GLACIAL
GRADUATE
HARVEST
HASTE
HOLE
HOLIDAY
HORSE
HYPNOTIC
IMPRESSIONISM
LAUNCH
MAN
MARK
MASTER
MISTRESS
MODERN
NATAL
NUPTIAL
OAK
OFFICE
PAID
PONE
RACE
ROAD
SCRIPT
SEASON
TIME
TRAUMATIC

PUZZLE 27

TENTING TONIGHT

B	O	O	T	S	D	F	G	N	I	M	M	I	W	S
L	W	D	N	B	T	L	F	I	R	E	M	S	U	P
M	I	I	I	H	X	A	T	L	A	E	M	C	J	N
S	A	R	L	G	P	S	R	Z	E	H	T	S	Q	Y
G	D	E	M	D	E	H	J	S	G	N	S	N	L	N
S	A	E	R	C	L	L	H	H	N	L	E	U	A	H
E	L	B	A	T	C	I	N	C	I	P	E	C	K	L
C	V	B	G	J	S	G	F	A	A	J	O	H	E	D
H	I	O	U	N	N	H	R	E	R	F	N	R	T	T
N	B	K	T	I	I	T	X	D	F	Q	A	C	A	S
Z	T	K	H	S	E	P	E	E	U	H	C	O	R	E
I	U	S	D	R	A	C	E	N	Z	I	B	S	P	R
H	I	K	I	N	G	P	Y	E	T	L	I	N	Y	O
F	V	D	P	U	O	R	G	Y	L	L	K	L	S	F
G	L	S	B	T	F	B	S	S	O	S	H	L	M	N

BIRDS
BOAT
BOOTS
CABIN
CANOE
CARDS
COFFEEPOT
FIRE
FISHING
FLASHLIGHT
FOREST
GROUP
HIKING
HILLS
LAKE
LANTERN
PICNIC TABLE
RAIN GEAR
SLEEPING BAG
STARS
STOVE
STREAM
SWIMMING
TARP
TENT
TRAILS
WILDLIFE

PUZZLE 28

MUSIC IN THE AIR

K	X	N	Z	X	T	C	H	A	N	T	E	Y	C	I
E	O	T	R	E	C	N	O	C	A	D	N	L	A	V
R	A	C	N	F	S	P	H	T	B	Y	R	L	X	M
U	G	C	U	T	E	E	A	O	D	G	U	P	P	B
T	S	G	A	R	E	C	R	O	R	L	T	R	K	H
R	U	U	A	N	C	A	S	E	L	S	C	E	U	Y
E	G	H	P	O	T	P	Y	A	N	T	O	L	G	D
V	L	O	T	O	A	I	B	N	T	A	N	U	E	J
O	D	A	R	H	K	Y	C	Y	O	A	D	D	T	O
S	P	I	R	I	T	U	A	L	N	H	N	E	I	J
O	O	N	T	O	D	N	O	R	E	T	P	O	U	Z
N	L	O	A	T	T	E	R	E	P	O	Z	M	S	J
G	K	N	T	R	Y	S	M	Q	O	G	O	O	Y	J
K	M	A	D	R	I	G	A	L	E	N	M	Y	H	S
B	G	C	Y	E	O	A	P	P	M	R	U	J	L	R

ARIA
CANON
CANTICLE
CHANTEY
CONCERTO
DITTY
FUGUE
HYMN
LULLABY
MADRIGAL
NOCTURNE
OPERA
OPERETTA
OPUS
ORATORIO
OVERTURE
PASTORALE
PRELUDE
RHAPSODY
RONDO
SERENADE
SONATA
SONG
SPIRITUAL
SUITE
SYMPHONY
TOCCATA
TONE POEM

PUZZLE 29

SEARS & ROEBUCK

T	R	A	T	S	A	T	O	S	E	N	N	I	M	S
A	E	R	I	X	E	H	A	R	D	W	A	R	E	P
M	D	L	O	H	E	S	U	O	H	Q	G	L	R	S
P	A	C	F	F	C	R	R	Y	T	S	A	O	C	S
R	O	H	R	S	A	L	B	E	U	S	F	D	H	L
E	R	I	O	L	R	L	O	P	D	I	U	I	A	A
P	L	C	N	M	V	E	P	T	T	R	P	N	N	M
A	I	A	T	P	E	L	M	A	H	M	O	Y	D	I
I	A	G	I	O	I	S	B	O	E	I	N	Z	I	N
R	R	O	E	E	Y	L	H	N	T	V	N	L	S	A
M	Z	L	R	E	E	S	T	O	C	S	O	G	E	W
A	N	A	C	I	R	E	M	A	P	P	U	T	Z	Z
N	S	T	Y	L	E	O	P	K	T	P	L	C	S	G
Y	R	A	N	I	R	E	T	E	V	L	E	W	O	V
M	Q	C	A	P	I	T	A	L	V	P	O	R	M	D

AMERICANA
ANIMALS
CAPITAL
CATALOG
CHICAGO
CLOTHING
CUSTOMERS
FRONTIER
HARDWARE
HOME SHOPPER
HOUSEHOLD
MERCHANDISE
MINNESOTA
START
ORDERS
PROFITABLE
PROMOTIONAL
RAILROADER
REPAIRMAN
RURAL
SALES
SHIPMENT
STOVE
STYLE
SUPPLIER
TOYS
VETERINARY

FLOWER SELECTION

M	U	I	T	R	U	T	S	A	N	K	Q	I	G	R
P	Y	D	O	R	C	H	I	D	E	S	O	R	U	E
V	P	H	L	O	X	S	S	A	U	L	B	V	Y	W
C	Y	I	O	O	H	Q	P	L	Z	O	M	R	L	O
M	A	E	N	C	G	N	O	X	C	A	E	P	I	L
M	T	N	U	K	K	I	E	A	G	T	L	R	L	F
C	T	F	N	C	D	C	R	N	S	D	I	E	C	N
A	H	H	O	A	A	N	O	A	A	S	L	V	A	U
J	Y	L	L	J	A	L	C	H	M	I	A	R	O	S
E	A	G	G	T	I	M	L	F	Y	I	C	S	C	U
Y	C	S	I	A	L	I	W	A	W	L	D	U	T	T
E	I	O	M	D	A	F	F	O	D	I	L	C	Z	U
X	N	W	K	I	E	N	I	B	M	U	L	O	C	B
O	T	H	O	U	N	A	I	T	N	E	G	R	H	R
Z	H	Z	S	X	G	E	L	T	R	Y	M	C	O	A

ARBUTUS
ASTER
AZALEA
CALLA
CANNA
CARNATION
COLUMBINE
COREOPSIS
CROCUS
DAFFODIL
DAHLIA
FUCHSIA
GENTIAN
GLADIOLUS
HOLLYHOCK
HYACINTH
IRIS
JASMINE
LILAC
LILY
MAGNOLIA
MARIGOLD
MYRTLE
NASTURTIUM
ORCHID
OXEYE
PHLOX
PINK
ROSE
SUNFLOWER

PUZZLE 31

SHOOT THE RAPIDS

C	B	G	E	U	K	C	C	B	H	I	I	U	L	Y
W	K	Q	K	W	U	C	V	G	R	O	L	L	M	R
G	T	U	R	B	U	L	E	N	C	E	U	A	I	N
A	P	M	O	R	A	P	I	D	S	H	V	T	O	D
F	O	A	M	O	R	E	T	A	W	E	T	I	H	W
B	X	N	D	A	D	T	F	N	L	F	T	F	R	Z
W	A	E	C	D	M	W	U	I	A	C	N	G	U	S
B	D	U	Y	S	L	K	F	R	A	I	E	U	H	A
O	S	V	T	I	Y	E	C	T	N	T	R	N	G	Q
F	T	E	H	D	V	T	S	A	B	S	R	S	R	H
X	R	R	N	E	H	I	I	H	T	O	U	O	I	G
N	O	S	S	G	R	V	C	L	A	S	C	L	P	V
T	K	T	I	W	Q	R	H	U	I	F	Y	O	K	S
V	E	L	G	N	I	D	L	O	F	G	T	A	C	I
K	G	V	J	B	G	N	I	L	D	D	A	P	H	Y

AGILITY
BIRCH
BROADSIDE
CURRENT
DECK
EDDY
FOAM
FOLDING
GRIP
HAYSTACK
HULL
LIFE VEST
LIGHT CRAFT
MANEUVERS
PADDLE SHAFT
PADDLING
RAPIDS
RIVER
ROLL
SNUG FIT
SPORT
STERN
STROKE
TURBULENCE
TURNS
WHITE WATER
WRIST ACTION

COMMUTER TRAIN

X	P	A	O	C	S	Y	X	O	R	R	E	L	S	A
D	G	B	Z	U	A	W	L	S	L	E	E	P	T	M
T	T	J	B	I	N	R	E	H	T	F	W	U	A	E
Z	R	W	S	R	M	A	D	U	T	S	N	K	N	N
E	A	A	I	C	T	O	M	S	I	N	C	O	D	P
Y	V	D	I	W	H	M	E	W	E	A	O	R	H	Z
C	E	F	O	N	O	E	U	L	R	R	L	M	P	L
O	L	X	L	C	D	F	D	T	V	T	K	I	N	A
N	O	E	L	S	I	A	R	U	B	Z	R	J	N	T
D	I	C	Y	W	O	T	E	T	L	T	O	H	F	E
U	E	M	A	R	Q	X	V	R	E	E	W	F	G	R
C	V	P	L	A	T	F	O	R	M	K	O	O	B	A
T	D	I	E	E	W	A	I	T	A	H	C	L	F	F
O	A	G	D	H	F	A	X	L	O	N	T	I	M	E
R	E	P	A	P	S	W	E	N	O	I	T	A	T	S

AISLE
BOOK
CARDS
CHAT
COMMUTE
CONDUCTOR
DELAY
FARE
LATE
LINE
MONTHLY
NEWSPAPER
ON TIME
OVERDUE
PLATFORM
RAILROAD
READ
RIDE
SCHEDULE
SEAT
SLEEP
STAND
STATION
SUBWAY
TICKET
TRACK
TRAIN
TRANSFER
TRAVEL
TRIP
TUNNEL
WAIT
WORK

PUZZLE 33

A STEP AT A TIME

R	S	O	Y	E	A	D	R	R	K	A	Y	S	R	E
T	R	B	O	L	T	R	B	A	N	I	S	T	E	R
E	R	O	X	E	T	S	E	U	I	T	V	E	D	G
Y	T	T	U	V	I	R	R	V	A	L	V	E	D	O
H	D	T	S	A	C	I	F	I	E	E	I	P	A	M
R	P	O	O	T	S	Q	R	P	A	N	U	N	L	B
X	A	M	W	E	S	C	A	L	A	T	O	R	G	O
T	N	L	R	N	A	C	P	L	R	R	S	P	Y	E
K	O	S	L	S	S	A	M	E	M	A	Z	P	S	Y
V	G	W	E	E	P	T	N	W	H	N	M	D	U	L
L	Y	X	E	R	C	I	A	R	M	C	A	P	L	X
Q	I	R	O	R	L	N	R	I	H	E	R	N	J	T
T	I	O	P	C	X	K	D	A	R	Y	R	O	T	S
F	L	A	N	D	I	N	G	T	L	S	W	Z	P	D
F	L	I	G	H	T	N	J	S	P	E	T	S	A	P

ATTIC
BANISTER
BOTTOM
CELLAR
CREAK
DOWNSTAIRS
ELEVATE
ENTRANCE
ESCALATOR
EXIT
FIRE ESCAPE
FLIGHT
FLOOR
INCLINE
LADDER
LANDING
PORCH
RAILING
RAMP
RISERS
SPIRAL
STAIRCASE
STAIRWELL
STEEP
STEPS
STOOP
STORY
TOWER
TREADS
UPSTAIRS

PUZZLE 34

SWIMMING LESSONS

J	J	T	E	C	H	P	I	N	O	K	V	C	S	N
U	J	R	R	L	G	E	O	P	O	U	U	H	I	Y
S	G	A	E	B	A	L	C	O	U	S	C	I	G	D
E	W	T	Q	N	A	H	S	A	L	P	S	N	N	D
L	Z	A	O	K	N	C	X	R	F	S	I	E	A	U
C	U	O	E	K	B	I	K	E	F	D	L	L	L	B
S	E	L	B	B	U	B	G	S	A	G	U	A	R	D
U	G	F	Q	S	E	U	T	E	T	N	T	E	P	K
M	N	P	K	D	X	T	R	B	B	R	A	A	W	S
C	U	I	I	N	S	T	R	U	C	T	O	R	A	X
Y	L	S	Q	K	W	E	M	O	H	K	E	K	T	I
L	P	N	C	X	Q	R	R	E	P	M	T	E	E	F
E	D	I	L	G	U	F	J	U	M	P	I	N	R	Y
J	K	F	Z	P	I	L	F	U	R	F	U	B	T	X
H	C	A	O	C	Z	Y	S	N	K	I	D	S	E	H

BACKSTROKE
BEGINNER
BREATHE
BUBBLES
BUDDY
BUTTERFLY
CHIN
COACH
CRAWL
EXHALE
FACE
FEET
FINS
FLIP
FLOAT
GLIDE
GUARD
INSTRUCTOR
JUMP IN
KICKS
KIDS
LAKE
LAPS
LESSON
MUSCLES
PLUNGE
POOLS
PUPIL
SIDE
SIGNAL
SKILL
SPLASH
SUMMER
SUPPORT
TREADING
WATER

PUZZLE 35

MALLARDS

K	A	A	O	L	H	W	F	S	G	O	X	R	S	C
F	L	V	C	V	H	T	Z	R	C	L	N	G	X	T
N	L	U	F	I	T	U	A	E	B	O	G	H	O	Q
K	E	O	T	I	R	S	N	H	I	E	E	A	D	S
C	S	E	E	D	S	F	N	T	K	D	U	S	U	M
A	A	W	R	L	C	E	A	A	M	E	R	I	C	A
U	G	U	A	G	S	R	R	E	O	B	O	A	K	S
Q	S	N	T	T	G	D	C	F	T	B	P	S	S	X
Z	D	Q	I	I	E	M	F	O	T	E	E	D	C	B
S	R	A	M	L	O	R	M	E	L	W	B	O	S	K
J	I	P	B	L	K	U	Y	Y	E	L	L	O	W	R
B	B	B	T	I	N	C	S	K	D	T	A	W	E	Y
L	A	I	T	B	R	W	U	D	N	W	O	R	B	D
D	N	E	G	N	A	R	O	D	N	A	L	G	C	W
G	L	W	D	F	W	E	E	D	S	W	I	M	A	N

AFRICA
AMERICA
ASIA
BEAUTIFUL
BILL
BIRDS
BROWN
CAUTIOUS
COLLAR
DABBLE
DOWN
DRAKE
DUCKLING
DUCKS
EGGS
EUROPE
FEATHERS
FEET
GLAND
GRASSLANDS
GREEN
MIGRATION
MOLTING
MOTTLED
NEST
ORANGE
QUACK
SEEDS
SWIM
WATER
WEBBED
WEEDS
WHITE
WOODS
YELLOW

PUZZLE 36

HAVE A SEAT

N	S	D	I	N	N	E	R	T	A	B	L	E	T	W
T	Q	R	I	A	H	C	Y	S	A	E	S	R	A	E
B	F	R	E	D	T	R	A	I	N	R	W	I	E	P
T	M	I	O	H	D	B	R	J	O	A	T	A	S	H
H	O	D	L	L	C	P	U	H	S	I	S	H	E	C
R	V	P	I	I	L	A	L	E	N	U	X	C	V	R
O	I	R	I	A	K	E	E	G	B	L	S	E	O	U
N	E	C	N	A	S	S	R	L	E	L	T	G	L	H
E	T	E	K	U	N	O	O	C	B	E	O	N	A	C
D	H	X	O	S	O	O	T	F	O	M	O	U	E	C
Y	E	R	X	M	H	U	B	A	A	A	L	O	B	Z
H	A	L	K	C	R	A	O	E	X	C	S	L	I	H
C	T	S	S	E	U	O	W	E	N	I	L	T	K	P
T	E	A	P	A	R	K	B	E	N	C	H	G	E	T
D	R	F	B	A	R	B	E	R	S	C	H	A	I	R

AIRPLANE
BARBER'S CHAIR
BATH
BIKE
BLEACHERS
CAMEL
CANOE
CAROUSEL
HORSE
CHURCH PEW
DESK
DINNER TABLE
EASY CHAIR
LECTURE
LOUNGE CHAIR
LOVE SEAT
MOVIE
THEATER
PARK BENCH
PIANO BENCH
RICKSHAW
ROLLER
COASTER
SCHOOL BUS
SEESAW
SKI LIFT
SLED
SOFA
STOOL
TAXI
THRONE
TRAIN
WAITING ROOM

PUZZLE 37

BLACK DIAMONDS

B	E	D	I	B	R	A	C	H	S	U	R	C	L	J
I	P	T	F	O	S	Q	G	U	Q	E	T	W	E	H
T	L	X	I	Q	L	R	L	E	Z	N	T	R	N	T
E	I	O	Z	C	O	F	Z	L	E	E	B	E	N	E
V	N	P	A	U	A	I	R	M	A	L	D	X	A	N
O	D	E	N	D	R	R	G	O	A	Y	Y	P	C	I
T	S	D	R	E	U	I	H	C	Y	T	E	O	R	M
S	L	U	V	G	P	S	K	T	S	E	S	R	E	X
Y	G	L	A	L	Y	O	T	P	N	C	V	T	O	E
S	U	O	N	I	M	U	T	I	B	A	H	N	S	N
P	Y	O	L	G	N	O	X	I	D	A	T	I	O	N
K	R	B	N	N	S	O	O	T	N	H	G	L	T	C
I	P	A	V	I	N	G	M	E	P	V	Y	U	E	U
F	T	Z	J	T	Z	B	M	M	X	N	Q	R	J	Q
T	O	L	U	E	N	E	Q	R	A	H	C	E	M	N

DYES
ENERGY
EXPORT
GROUND
IRON
LAYER
LIGNITE
LOAD
METHANE
MINE
NYLON
OPEN-PIT
OXIDATION
PAVING
PIGMENT
PULVERIZE
SOFT
SOOT
STOVE
SULFA DRUGS
TOLUENE

ACETYLENE
AMMONIA
ANTHRACITE
BITUMINOUS
BLACK
CANNEL

CARBIDE
CHAR
CONVEYOR
CREOSOTE
CRUSH
DUST

PUZZLE 38

BALANCED DIET

H	H	P	N	W	N	E	K	C	I	H	C	O	P	H
A	C	R	A	B	S	E	S	E	E	H	C	R	M	R
S	N	A	E	B	Y	E	N	D	I	K	B	A	I	E
P	E	C	N	V	X	C	O	C	C	B	I	N	R	A
A	I	K	C	I	I	A	K	T	S	C	R	G	H	V
R	N	X	O	H	P	P	O	T	A	T	O	E	S	S
A	T	U	R	H	E	S	O	U	O	M	S	S	A	X
G	N	C	T	A	C	R	L	T	H	E	O	L	N	D
U	A	O	S	R	R	I	R	A	V	Y	I	T	A	Y
S	L	R	M	A	F	U	T	I	V	O	Y	Y	N	R
P	P	N	C	L	G	P	D	R	E	O	P	P	A	E
E	G	C	O	O	A	N	C	V	A	S	C	E	B	L
T	G	W	Y	S	E	S	I	C	A	B	B	A	G	E
V	E	T	T	M	I	L	K	L	B	H	P	R	D	C
R	D	A	E	L	O	A	T	M	E	A	L	S	Z	O

ARTICHOKES
ASPARAGUS
AVOCADO
BANANAS
BREAD
CABBAGE
CARROTS
CAULIFLOWER
CELERY
CHEESE
CHERRIES
CHICKEN
CHICKPEAS
CORN
CRAB
EGGPLANT
ENDIVES
KIDNEY BEANS
MILK
OATMEAL
OLIVE OIL
ORANGES
PASTA
PEARS
POTATOES
RICE
SALMON
SHRIMP
SPINACH
TOMATOES
TUNA
YOGURT

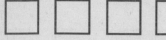

PUZZLE 39

HISTORY BOOK

A	L	E	X	A	N	D	E	R	Y	N	I	L	E	E
Y	G	S	J	S	I	L	L	A	W	N	R	O	C	S
R	D	A	O	I	Q	A	T	H	E	N	S	A	N	R
Y	A	E	N	O	E	L	O	P	A	N	L	C	A	A
U	L	W	N	D	P	C	T	W	K	L	L	T	S	T
V	I	V	A	N	H	H	S	W	A	E	R	C	S	A
V	T	I	K	S	E	I	I	W	O	A	H	R	I	T
V	T	K	I	I	H	K	R	P	C	U	L	U	A	N
I	A	I	O	I	R	I	A	A	R	U	I	S	N	O
O	W	N	M	N	E	T	N	C	H	C	N	A	E	S
O	I	G	D	C	R	G	H	G	O	W	C	D	R	L
A	R	S	E	A	A	I	R	Q	T	J	O	E	G	E
V	B	E	N	M	L	U	K	O	D	O	L	S	C	N
U	R	N	N	L	Q	S	G	U	E	Y	N	I	L	P
G	S	U	B	M	U	L	O	C	K	G	N	F	C	Y

GEORGE III
GREECE
IONIA
KENNEDY
LINCOLN
MAGNA CARTA
NAPOLEON
NELSON
NERO
NILE
PLINY
RENAISSANCE
TATARS

ALEXANDER
ARISTOTLE
ATHENS
ATTILA
CHURCHILL

CLEOPATRA
COLUMBUS
CORNWALLIS
CRUSADES
GANDHI

VANDALS
VIKINGS
WALLACE
WASHINGTON

PUZZLE 40

BEST OF TIMES

C	L	A	V	I	T	S	E	F	H	Q	Q	E	C	Q
M	A	O	G	V	F	R	U	O	T	K	E	I	A	N
T	P	R	E	N	C	Q	M	U	F	R	R	R	O	M
S	A	L	N	U	I	E	W	E	O	C	A	I	O	D
P	R	E	G	I	C	P	R	B	U	I	N	V	F	D
B	A	Z	R	O	V	E	M	S	J	U	I	H	E	M
A	D	R	M	T	I	A	B	A	E	E	H	I	A	L
L	E	I	T	M	J	X	L	R	C	K	T	H	S	J
L	N	V	E	Y	L	P	L	H	A	A	F	A	T	C
G	Q	R	Y	A	D	H	T	R	I	B	T	Y	D	W
A	P	W	E	D	D	I	N	G	B	M	T	R	I	P
M	C	S	A	I	O	F	V	A	C	A	T	I	O	N
E	B	N	H	L	X	A	Q	G	T	L	Z	D	C	U
M	C	B	M	O	P	I	C	N	I	C	F	E	U	T
E	U	G	X	H	W	R	R	L	N	U	I	V	O	F

BALL GAME
BARBECUE
BIRTHDAY
CAMPING
CARNIVAL
CIRCUS
CLAMBAKE
DANCE
DATE
FAIR
FEAST
FESTIVAL
HAYRIDE
HOLIDAY
HOMECOMING
JAMBOREE
MOVIE
PARADE
PARTY
PICNIC
PREMIERE
REUNION
SHOW
TOUR
TRAVEL
TREAT
TRIP
VACATION
WEDDING

PUZZLE 41

BIRD WATCHER'S DELIGHT

D	L	L	G	V	G	W	D	L	E	I	P	G	A	M
R	O	N	L	N	O	R	E	H	I	E	S	O	O	G
I	O	P	I	U	I	W	O	L	L	A	W	S	W	S
B	N	I	V	B	G	L	N	U	J	G	U	E	D	T
G	I	G	D	R	O	U	R	C	S	L	H	Q	P	O
N	T	E	C	N	T	R	D	A	T	E	C	B	S	R
I	R	O	B	H	Y	R	E	R	T	H	I	P	E	K
M	A	N	A	R	I	R	M	D	A	S	R	W	Z	Z
M	M	T	A	B	N	C	M	I	C	E	T	U	G	C
U	C	N	E	E	O	A	K	N	Y	R	S	E	S	P
H	A	U	V	N	C	S	P	A	R	R	O	W	R	H
C	L	A	D	A	L	H	I	L	D	R	S	W	A	N
B	R	O	W	L	A	T	U	R	K	E	Y	Q	U	E
K	R	A	L	W	F	T	N	A	S	A	E	H	P	R
L	J	V	K	V	R	A	A	B	J	X	W	D	Y	W

BLUEBIRD
CANARY
CARDINAL
CHICKADEE
CONDOR
CROW
EAGLE
ERNE
FALCON
GOOSE
GROUSE
GULL
HAWK
HERON
HUMMINGBIRD
JAY
LARK
LOON
MACAW
MAGPIE
MARTIN
NUTHATCH
OSPREY
OSTRICH
OWL
PEWEE
PHEASANT
PIGEON
QUAIL
RAVEN
REDBIRD
ROBIN
SPARROW
STARLING
STORK
SWALLOW
SWAN
TERN
THRUSH
TURKEY
WREN

PUZZLE 42

SOUND JUDGMENT

R	E	T	S	O	O	R	R	Q	L	A	R	Y	C	E
L	W	O	R	G	C	E	O	L	U	E	G	M	L	B
G	N	H	W	B	P	N	E	T	F	N	D	Q	U	A
Z	V	O	I	S	S	B	K	R	I	T	H	O	R	N
M	W	I	I	S	F	E	I	P	R	U	T	Q	Y	J
Y	R	H	S	S	T	G	O	J	E	S	Q	R	O	O
S	W	A	D	T	E	L	I	Q	P	T	O	S	Y	U
O	P	C	L	R	L	M	E	W	L	E	I	T	O	K
N	V	E	A	A	U	H	A	W	A	K	D	A	V	M
G	K	T	G	I	R	M	U	K	C	C	A	T	O	W
O	O	A	P	P	L	A	U	S	E	I	R	I	K	M
R	N	M	O	R	C	H	E	S	T	R	A	C	O	N
F	P	I	H	W	H	C	O	W	Q	C	O	T	J	G
V	B	N	A	U	K	D	Y	E	L	L	O	C	U	N
Q	G	U	K	R	N	F	C	Y	C	R	P	A	W	P

ALARM
APPLAUSE
BANJO
BELL
CLOCK
CRICKETS
DRUM
FIREPLACE
FROG
GALLOPING
GROWL
HORN
KETTLE
MOSQUITO
MOTOR
NOISEMAKER
ORCHESTRA
RADIO
RAIN
REFRIGERATOR
ROOSTER
SONG
STATIC
WHIP
WHISPER
WHISTLE
YELL
YODEL

PUZZLE 43

"K" LANGUAGES

Z	U	R	Y	K	O	N	G	O	K	U	M	Y	K	S
A	U	K	A	R	A	N	K	A	W	A	E	A	I	C
H	G	A	F	T	K	L	I	O	N	B	S	N	R	L
I	U	N	K	A	A	R	M	K	R	H	E	I	A	V
S	H	A	Y	O	I	T	K	U	U	W	N	W	N	N
A	H	R	F	M	H	H	N	B	C	K	A	I	T	T
H	O	E	H	L	O	I	I	A	O	K	T	R	I	X
K	Q	S	Y	W	H	A	S	M	Z	S	O	I	U	F
U	A	E	A	C	N	Q	I	T	U	A	H	K	K	Z
K	H	R	A	H	T	A	I	R	A	H	K	U	R	I
O	A	K	E	L	Y	B	A	K	M	N	T	S	E	T
I	L	F	U	L	O	O	P	A	K	C	I	K	M	M
A	W	S	I	R	I	Y	H	K	H	A	L	K	H	A
R	T	Y	Z	R	U	A	K	I	C	C	Y	B	K	H
I	O	P	Z	V	I	K	N	U	G	A	D	O	K	K

KHALKHA
KHAMTI
KHARIA THAR
KHASI
KHMER
KHOTANESE
KHOWAR
KICKAPOO
KIRANTI
KIRIWINA
KODAGU
KOHISTANI
KOIARI
KOMI
KONGO
KORWA
KORYAK
KUKI
KUMYK
KURUKH
KUTCHIN

KABYLE
KACHIN
KAFIRI
KALMUCK
KANARESE

KARANKAWA
KARELIAN
KASHMIRI
KASHUBIAN
KAZAN TATAR

PUZZLE 44

JIM THORPE

R	E	N	R	A	W	P	O	P	X	O	W	H	F	G
J	S	C	I	P	M	Y	L	O	E	O	G	J	N	N
I	T	D	T	N	S	L	A	D	E	M	D	L	O	G
O	W	H	D	B	A	S	K	E	T	B	A	L	L	D
E	A	A	X	B	T	C	I	G	U	J	H	A	H	K
P	S	L	T	O	E	P	I	L	Y	T	C	B	T	B
H	C	O	M	H	F	M	L	R	A	I	A	E	A	R
R	O	N	D	S	O	D	A	T	E	V	O	S	C	I
F	K	G	W	V	O	H	N	F	I	M	C	A	E	G
I	L	J	P	G	H	E	U	A	F	V	A	B	D	H
E	A	U	S	V	P	N	T	K	C	O	N	L	I	T
L	H	M	W	E	S	S	O	R	C	A	L	H	L	P
D	O	P	C	A	R	D	I	N	A	L	S	L	W	A
P	M	U	J	H	G	I	H	R	W	C	D	X	A	T
D	A	D	T	W	C	C	O	V	F	S	K	A	Q	H

ALL-AMERICAN
BASEBALL
BASKETBALL
"BRIGHT PATH"
BULLDOGS
CARDINALS
COACH
DASH
DECATHLON
FIELD
FOOTBALL
GOLD MEDALS
HALL OF FAME
HIGH JUMP
LACROSSE
LONG JUMP
OKLAHOMA
OLYMPICS
PENTATHLON
"POP" WARNER
SAC AND FOX
TRACK
WA-THO-HUK

PUZZLE 45

"TO BE OR NOT TO BE"

O	H	S	A	G	A	O	E	M	O	R	I	D	M	D
T	A	A	S	G	B	R	A	N	D	O	N	H	O	J
A	M	I	N	E	P	D	I	T	L	N	U	N	S	Q
C	L	O	V	A	L	E	E	E	S	A	P	A	O	O
P	E	S	T	I	I	C	M	S	L	E	L	I	O	N
M	T	U	O	H	L	R	I	I	D	L	R	L	K	I
A	I	L	E	H	P	O	D	R	L	E	L	E	U	S
L	A	Y	P	O	C	M	O	A	E	I	M	C	C	U
O	G	S	A	I	A	W	H	E	M	P	A	O	L	I
N	O	S	C	L	S	E	B	A	S	T	I	A	N	V
S	I	E	U	I	R	L	C	L	A	C	E	C	A	A
O	R	S	R	O	D	L	A	N	I	R	A	I	N	L
O	R	A	S	E	A	C	A	O	T	I	R	L	G	F
U	S	Q	F	A	L	I	C	E	N	A	C	N	U	D
H	N	F	A	J	D	U	S	C	M	V	X	O	S	S

ADRIANA
ALICE
ALONSO
ANGUS
ARIEL
BRANDON
CAESAR
CAMILLO
CATO
CELIA
CERES
CICERO
CROMWELL
DESDEMONA
DIANA
DON PEDRO
DUNCAN
ELEANOR
EMILIA
ESCALUS
FLAVIUS
HAMLET
HERO
IAGO
IRAS
JOHN
LAERTES
LION
MARIA
MOTH
OLIVIA
OPHELIA
PERICLES
RINALDO
ROMEO
SEBASTIAN
ULYSSES
URSULA

PUZZLE 46

SEWING BEE

G	N	I	R	T	S	H	S	I	N	I	F	O	I	H
N	M	F	N	G	C	M	M	R	N	O	V	K	O	P
I	O	T	I	J	N	J	R	N	R	E	T	T	A	P
K	V	I	B	T	A	I	L	O	R	I	N	G	P	E
C	E	D	B	B	F	K	T	C	F	E	O	I	U	Z
O	R	L	O	X	I	B	A	S	D	S	L	M	L	Y
M	L	T	B	W	T	S	E	I	A	Y	S	A	R	R
S	A	D	W	M	T	V	W	B	C	B	Y	E	O	I
T	Y	P	E	R	I	B	S	U	G	U	D	S	R	R
E	T	N	P	S	N	H	T	B	G	I	E	H	L	D
S	P	P	J	L	G	T	T	Z	O	T	T	C	I	Z
S	H	I	R	R	I	N	G	R	T	O	K	N	I	P
U	P	C	N	N	A	Q	B	E	L	G	M	E	P	B
G	I	O	G	S	X	M	U	C	W	U	Q	R	Q	W
F	H	T	M	A	E	S	D	E	L	L	E	F	F	Q

APPLIQUE
BASTING
BOBBIN
CLOTH
CUTTING
DRESS FORM
EMBROIDERY
FELLED SEAM
FINISH
FITTING
FRENCH SEAM
GUSSET
JABOT
LINEN
OVERCAST
OVERLAY
PATTERN
PICOT
PINK
RIBS
ROSETTE
SHIRRING
SMOCKING
SNIP
STRING
TAILORING
THIMBLE
WIDEN

PUZZLE 47

SEA FISHING

E	S	L	S	P	A	F	K	H	I	T	W	T	V	P
P	S	J	R	N	K	C	H	S	I	D	I	C	W	D
I	A	E	G	O	O	B	M	A	B	P	N	D	N	F
H	B	L	R	K	O	O	B	L	U	G	D	P	E	R
N	E	T	S	U	H	F	P	P	O	D	O	T	N	H
R	T	S	S	I	L	B	U	S	Y	L	I	Y	N	A
N	A	E	C	O	N	B	R	C	E	B	K	T	B	L
E	S	J	A	C	K	E	T	A	O	V	Q	J	O	L
B	T	T	T	A	D	D	C	T	R	O	A	P	B	O
P	O	A	D	A	G	N	L	C	S	O	L	W	B	R
C	O	P	W	N	G	T	Y	H	F	I	C	E	E	A
B	B	R	A	B	O	U	I	H	M	R	P	K	R	E
P	X	U	Y	M	R	P	L	I	S	S	N	U	S	G
F	R	U	S	G	U	B	T	L	F	I	R	E	N	C
B	D	N	K	L	E	R	O	H	S	J	F	A	N	J

ANGLER
BAIT
BAMBOO
BARB
BASS
BITE
BOAT

BOBBER
BOOTS
BUGS
BUOY
CATCH
COOLER
FIRE

FISH
FLOAT
GEAR
GULLS
HOOK
JACKET
LIMIT
LURE
NETS
OCEAN
POLE
POND
ROCKS
ROLL
SHIP
SHORE
SINKER
SPLASH
SPOONS
SURF
TIDE
WADERS
WAVES
WIND

PUZZLE 48

THE ACTIVE LIFE

K	C	O	L	T	S	I	R	W	W	T	S	J	M	M
C	S	H	T	T	E	E	A	P	Z	S	H	E	X	N
A	T	P	S	H	T	N	I	A	R	C	K	V	E	S
B	N	S	L	T	R	T	P	J	T	P	N	R	U	T
L	U	A	A	I	C	O	K	I	P	R	I	U	W	A
L	B	B	N	H	T	R	W	U	N	E	R	C	D	N
U	A	L	F	I	R	S	T	B	A	S	E	W	R	C
F	L	O	G	S	L	T	B	R	S	S	C	R	I	E
G	I	S	K	Z	I	E	O	O	D	I	I	K	V	T
N	E	C	P	N	P	D	V	Q	L	B	N	I	E	N
I	I	T	G	A	S	T	E	A	L	S	D	N	R	K
K	S	K	S	P	R	I	N	T	J	G	M	G	E	C
I	O	S	S	W	J	E	Z	T	E	K	C	A	R	T
P	E	W	H	O	O	K	S	L	P	B	Q	R	E	D
S	E	K	O	R	T	S	K	A	T	E	I	D	M	T

BATTER
BUNTS
CURVE
DRAG
DRIVER
FIRST BASE
FULLBACK
GOLF
HOOKS
ICE RINK
JAVELIN
KICKS
LEG DIVE
LOBS
PASSES
PITCH
PRESS
PUTTING
RACKET
RODS
SKATE
SPARES
SPIKING
SPLITS
SPRINT
STANCE
STEALS
STROKES
SWITCH
TEAMS
TENNIS
TENPINS
THROW
WRISTLOCK

PUZZLE 49

REAL ESTATE

A	T	R	G	N	I	S	O	L	C	G	P	Y	M	N
Y	M	N	E	T	A	I	T	O	G	E	N	T	O	O
T	Y	O	E	K	R	J	L	V	E	Z	M	I	R	I
I	C	X	R	G	O	L	S	K	U	T	T	U	T	T
D	I	O	A	T	A	R	P	P	S	A	N	Q	G	C
I	Y	K	O	T	I	U	B	E	I	F	E	E	A	U
U	P	N	E	P	E	Z	R	C	I	X	M	T	G	R
Q	G	R	B	S	E	E	E	N	Z	U	T	H	E	T
I	A	A	I	S	T	R	A	H	O	U	S	E	P	S
L	N	E	A	N	P	N	A	U	Y	M	E	N	R	N
K	B	E	I	E	C	C	I	T	I	P	V	O	O	O
C	L	F	D	I	R	I	Y	O	I	L	N	Z	F	C
L	L	T	N	E	R	E	P	A	P	V	I	T	I	O
C	T	G	D	O	W	N	P	A	Y	M	E	N	T	I
S	T	I	D	E	R	C	T	O	L	W	J	R	S	G

AGENT
AMORTIZE
BANK
BROKER
CLOSING
COLLATERAL
CONSTRUCTION
COOPERATIVE
CREDITS
DEPRECIATION
DOWN PAYMENT
EQUITY
FINANCING
HOUSE
INTEREST
INVESTMENT
LEASE
LIQUIDITY
LOT
MORTGAGE
NEGOTIATE
POINTS
PRINCIPAL
PROFIT
RENT
TAX
UPKEEP
ZONE

CHILDREN'S WRITERS

N	D	R	A	H	C	A	S	S	B	K	G	R	S	S
B	M	J	M	C	O	R	M	I	E	R	L	T	M	M
W	A	F	L	F	K	B	O	N	L	A	O	O	A	A
X	R	G	V	B	G	I	N	E	J	M	B	L	D	I
O	T	Y	N	T	T	E	N	R	U	B	E	K	A	L
K	I	A	K	O	D	G	L	G	E	N	L	I	M	L
O	N	P	E	Y	L	O	Y	N	S	P	S	E	K	I
N	M	R	A	E	F	D	Z	K	V	L	P	N	K	W
I	O	K	O	T	Z	W	I	N	K	L	E	Q	H	Z
G	Z	T	I	W	E	B	Z	H	N	R	R	Y	B	W
S	P	N	Y	M	L	R	T	C	G	I	R	X	F	Q
B	G	L	M	L	B	I	S	D	H	G	A	N	I	M
U	X	I	R	M	B	G	N	O	D	V	U	W	Z	B
R	R	B	A	R	R	I	E	G	N	Z	L	Y	T	A
G	R	U	B	S	L	L	A	N	A	V	T	F	X	Y

ADAMS
BAGNOLD
BARRIE
BLYTON
BURNETT
CORMIER
GRIMM
KENNEDY
KINGSLEY
KONIGSBURG
KOTZWINKLE
L'ENGLE
LENSKI
LINDGREN
LOBEL
LOFTING
MARTIN
MILNE
PATERSON
PERRAULT
ROWLING
SACHAR
TOLKIEN
TWAIN
VAN ALLSBURG
WILLIAMS

PUZZLE 51

THE MABINOGION

M	E	K	K	D	M	Q	B	B	R	S	K	B	Y	T
V	Y	L	I	B	F	D	P	R	Y	D	E	R	I	W
C	F	N	P	V	D	F	F	L	A	M	L	C	J	L
E	E	Y	O	H	S	Y	O	M	F	O	L	S	P	Y
C	P	R	B	G	I	L	I	D	D	N	Y	K	G	L
F	E	U	H	C	A	N	R	W	O	L	D	P	T	L
R	R	H	I	A	N	N	O	N	E	R	D	S	T	E
Y	E	T	C	J	G	D	O	V	N	N	O	A	K	G
H	D	R	V	W	Y	M	E	Y	E	Y	N	D	E	N
M	U	A	A	A	H	L	E	G	D	G	W	R	L	E
E	R	D	R	E	L	L	W	I	W	Y	E	G	E	W
R	D	L	Z	V	T	A	U	E	L	I	W	X	M	D
I	Y	S	B	E	R	I	N	C	N	Y	C	G	O	A
N	N	A	G	V	A	H	J	T	X	M	G	J	N	R
Q	E	Q	E	N	O	Y	R	W	G	K	H	Z	D	B

GEREINT
GWRYON
GWYDYON
GWYNN
HAVGAN
IDDAWG
KELEMON
KELLYDDON
KYNDDILIG
LLEVELYS
MEILYG
MERIN
MYNOGAN
ODYAR
PEREDUR

ARTHUR
BRADWEN
CULHWCH
ELLYLW
ELPHIN

EMHYR
ENID
EVRAWG
FFLAM
FFODOR

PRYDERI
RHIANNON
TANGWEN
WRNACH
YSBERIN

PUZZLE 52

HIT THE HIGHWAY

R	E	D	L	U	O	H	S	G	A	L	F	U	R	W
R	R	X	E	B	B	E	Y	R	S	Y	A	H	Y	A
P	A	S	S	K	C	U	R	T	O	N	U	N	B	D
C	F	D	T	A	P	O	E	S	G	A	G	J	E	J
O	H	H	F	N	A	T	E	K	G	R	D	I	D	S
N	G	R	A	D	E	N	N	L	N	L	A	B	S	U
E	U	U	W	R	I	M	E	V	I	R	E	V	E	F
S	O	O	C	L	D	T	E	G	N	E	T	G	E	D
H	R	N	W	I	O	T	H	V	R	K	U	O	L	L
K	O	E	R	L	L	T	O	I	A	I	O	P	C	K
C	H	T	L	A	S	V	N	P	W	P	R	E	I	C
S	T	S	H	L	H	A	U	L	I	N	G	N	H	A
D	P	P	W	R	O	X	O	B	A	R	R	I	E	R
C	S	A	K	V	Y	R	S	P	M	U	B	N	V	T
A	N	E	M	U	T	I	B	V	F	T	V	G	S	F

ASPHALT
BARRIER
BITUMEN
BUMPS
CONCRETE
CONES
DIRT
FLAGS
GRAVEL
HARDTOP
HAULING
LANE
LIGHTS
LINES
MAPS
OPENING
PASS
PAVEMENT
ROADBED
ROADWORK
ROLLER
ROUTE
SHOULDER
SIGNS
SURFACE
THOROUGH-
FARE
TOLLS
TRACK
TRUCKS
TURNPIKE
VEHICLE
WARNING

PUZZLE 53

LABOR UNION

N	Y	H	O	U	R	S	O	U	I	P	Y	Z	S	Q
O	A	K	Q	R	E	F	N	N	T	R	S	X	N	W
E	F	T	P	S	F	Z	O	I	C	Y	P	K	O	I
L	L	O	I	I	J	I	X	O	E	S	E	V	I	Y
J	H	A	C	O	S	C	O	N	T	R	A	C	T	E
S	R	E	C	N	N	F	D	R	O	S	K	N	A	S
Y	R	F	E	O	A	A	E	S	R	S	E	G	I	E
S	R	P	Y	Z	L	M	L	M	P	M	R	T	T	W
R	P	T	S	T	I	F	E	N	E	B	C	E	O	N
C	L	O	S	E	D	N	G	G	M	E	B	K	G	H
L	O	Y	J	U	W	T	A	L	K	S	T	C	E	T
A	I	F	Z	A	D	N	T	G	H	T	R	I	N	T
W	Y	C	G	T	A	N	E	X	R	A	D	P	N	S
S	R	E	B	M	E	M	I	O	F	O	L	B	J	G
H	S	L	V	Z	R	T	S	T	Z	A	T	L	R	T

BENEFITS
CLOSED
CONTRACT
CRAFT
DELEGATE
HALL
HOURS
INDUSTRY
LAWS
LOCAL
MANAGEMENT
MEETING
MEMBERS
NATIONAL
NEGOTIATIONS
OFFICERS
ORGANIZE
PENSION
PICKET
PROTECT
RAISES
SHOP
SPEAKER
TALKS
UNION
WAGES

BACKPACKING

R	H	K	Q	G	X	S	C	C	V	H	G	P	E	R
R	T	T	C	U	L	G	H	A	G	V	E	F	T	O
G	N	I	R	A	E	A	L	E	F	O	I	R	Q	O
F	N	B	M	A	P	L	D	O	L	N	P	I	B	T
S	I	I	R	B	E	K	R	E	K	T	M	V	M	S
S	N	R	H	Y	E	E	C	Y	B	H	E	E	D	T
A	B	L	S	S	S	R	M	A	K	E	E	R	C	Z
P	J	X	U	T	I	R	W	K	B	Z	I	B	N	C
M	F	I	R	J	A	F	I	V	M	B	J	W	A	O
O	R	M	B	S	T	I	L	K	X	T	O	M	V	T
C	M	L	S	R	O	O	D	T	U	O	P	X	A	N
I	H	I	K	E	R	S	L	K	D	F	H	Z	N	A
S	W	A	P	S	N	O	I	S	I	V	O	R	P	E
S	T	R	A	P	S	U	F	R	D	T	A	R	P	L
Z	X	T	P	U	P	T	E	N	T	W	C	X	C	R

ANIMALS
BACKPACK
BIRDS
BRUSH
CAMPFIRE
COMPASS
CREEK
EARTH
FIRST-AID KIT
FISHING
FOREST
GEAR
GLADE
HERBS
HIKERS
LEAN-TO
OUTDOORS
PROVISIONS
PUP TENT
RIVER
ROOTS
SHELTER
STRAPS
SWISS ARMY
KNIFE
TARP
TIMBER
TRAIL MIX
VALLEYS
WILDLIFE
WOODS

PUZZLE 55

GOOD, GREAT, GRAND!

J	O	L	L	Y	Y	A	D	M	I	R	A	B	L	E
E	R	L	L	O	U	T	S	T	A	N	D	I	N	G
F	E	U	E	A	S	U	O	L	U	B	A	F	G	W
W	Q	F	Y	F	I	U	U	O	D	J	Y	N	W	S
C	R	I	R	O	A	C	O	Z	K	K	I	O	H	P
A	O	T	O	R	A	N	I	I	C	M	N	J	E	E
P	I	U	T	T	J	V	T	F	R	D	C	C	R	C
A	R	A	C	U	O	Y	Z	A	E	O	I	O	H	I
W	E	E	A	N	V	K	H	R	S	N	L	E	O	A
E	P	B	F	A	I	C	F	D	G	T	E	G	B	L
S	U	Y	S	T	A	U	S	R	O	R	I	B	F	V
O	S	P	I	E	L	L	E	O	F	O	A	C	L	S
M	P	P	T	O	W	A	O	U	P	U	G	N	A	B
E	D	A	A	B	T	G	L	T	N	E	C	E	D	W
D	E	H	S	I	U	G	N	I	T	S	I	D	S	U

ADMIRABLE
AWESOME
BANG-UP
BEAUTIFUL
BENEFICIAL
CHARMING
CHEERFUL
COOL
DECENT
DISTINGUISHED
FABULOUS
FANTASTIC
FORTUNATE
GLORIOUS
GOOD
GRAND
GREAT
HAPPY
JOLLY
JOVIAL
LUCKY
NICE
OUTSTANDING
SATISFACTORY
SPECIAL
SPECTACULAR
SUPERIOR
WELL
WONDERFUL

WORDS FROM "EVANGELINE"

N	H	O	H	B	L	A	I	T	S	E	L	E	C	X
O	S	V	C	V	M	G	F	Y	T	M	D	N	W	M
I	W	H	J	E	A	T	S	F	T	I	R	K	B	U
T	L	K	O	B	A	U	Y	P	E	U	L	A	E	R
O	D	S	L	R	Z	N	L	T	I	C	A	O	F	M
V	T	E	N	G	E	T	I	N	B	N	T	E	L	U
E	S	S	D	D	I	S	T	A	N	T	N	I	B	R
D	E	U	U	U	I	E	C	H	F	Y	U	I	O	I
I	R	O	S	U	L	H	R	S	G	Q	L	B	N	N
K	O	H	Q	S	I	C	W	U	N	I	E	T	A	G
E	F	X	T	L	I	O	E	A	V	A	L	L	E	Y
S	E	S	D	S	D	I	R	S	D	R	U	I	D	S
C	I	T	N	A	L	T	A	S	E	Y	E	M	W	N
M	L	P	E	G	A	L	L	I	V	Q	J	K	N	T
S	T	M	N	P	G	B	E	Y	P	P	A	H	D	K

AFFECTION
ATLANTIC
BEADS
BEAUTY
CELESTIAL
CHESTNUT
CHILD
DEVOTION
DIKES
DISTANT
DRUIDS
EXQUISITE
EYES
FARMS
FOREST
GABLES
HAPPY
HOUSES
MEADOWS
MISTS
MURMURING
OAK
OCEAN
SECLUDED
SHORES
SPINNING
TRANQUIL
TWILIGHT
VALLEY
VILLAGE

PUZZLE 57

AARON

A	S	U	O	L	A	E	J	U	D	G	E	N	S	R
I	B	H	I	G	H	P	R	I	E	S	T	P	E	I
S	U	E	S	N	O	S	R	U	O	F	E	H	Q	M
R	B	S	H	H	E	L	P	E	R	A	T	A	A	O
A	B	L	E	S	S	E	D	V	K	O	R	R	Z	U
E	I	J	C	S	I	H	O	E	R	S	M	A	W	N
L	M	U	N	B	O	L	R	B	N	A	H	O	T	T
E	A	I	A	N	X	M	E	I	R	C	V	H	A	A
V	I	P	R	O	M	I	S	E	D	L	A	N	D	I
I	R	R	E	A	E	T	H	E	F	M	O	L	I	N
T	I	O	V	T	C	T	S	A	U	I	G	B	F	E
E	M	P	I	R	A	L	M	I	N	G	W	W	J	S
L	K	H	L	F	F	I	E	T	N	H	A	B	V	O
P	J	E	E	H	L	V	E	S	M	A	C	L	H	H
L	Z	T	D	Y	W	D	N	P	H	X	I	S	P	C

HELPER
HIGH PRIEST
HUR
ISRAEL
JEALOUS
JUDGE
LEVITE
MIRACLES
MIRIAM
MOSES
MOUNTAIN
MT. SINAI
PHARAOH
PLAGUES
PROMISED
LAND

ANOINTED
BLESSED
BROTHER
CHOSEN
DELIVERANCE

FAMILY
FATHER
AMRAM
FOUR SONS
GOLDEN CALF

PROPHET
ROD
SINS
SPEAKER
WIFE ELISHEBA

TAKING SIDES

Y	R	T	N	U	O	C	T	I	J	R	K	L	C	N
Q	L	A	K	E	O	P	S	H	V	A	V	O	O	D
H	I	L	L	U	V	R	E	V	I	R	L	R	E	N
H	Z	B	P	H	Q	I	W	C	S	I	I	T	C	J
I	A	L	T	S	R	A	H	K	N	A	R	Y	E	I
T	E	R	T	E	T	H	I	E	A	A	D	A	I	S
T	O	A	D	E	F	C	S	U	C	L	L	D	P	S
N	T	N	R	D	A	F	K	K	N	C	O	G	L	U
E	I	H	H	T	R	A	E	H	C	D	Y	N	T	E
W	D	A	G	U	B	D	R	C	O	O	E	O	G	K
R	E	T	T	I	L	P	S	B	T	C	D	R	I	O
W	P	B	Y	N	L	B	U	R	N	S	E	W	C	R
R	I	G	H	T	U	P	X	O	R	K	A	A	K	T
L	W	E	O	D	V	O	P	A	E	H	C	E	N	S
L	S	H	T	U	O	S	M	D	S	F	J	W	P	E

ALONG
BROAD
BURNS
CHAIR
CHEAP
COUNTRY
COUPLE
DOCK
EAST
EFFECTS
GLANCE
HEARTH
HILL
IRON
ISSUE
LAKE
LIGHT
LINE
MOUNTAIN
NORTH
OCEAN
PIECE
RIGHT
RIVER
SADDLE
SOUTH
SPLITTER
STATE
STROKE
SWIPED
TABLE
TRACKED
UNDER
WATER
WEST
WHISKERS
WINDER
WRONG

PUZZLE 59

STANDARD LAWS

S	D	R	V	L	O	O	Z	F	V	N	J	D	E	C
W	P	O	W	E	R	Y	N	G	G	U	A	D	J	Y
A	L	U	M	R	O	F	T	O	R	Z	F	M	L	A
L	W	T	W	Q	O	R	D	I	N	A	N	C	E	W
P	E	I	X	N	S	C	S	N	R	A	Z	T	P	S
N	R	N	S	O	O	D	O	L	Y	O	C	P	S	V
G	U	E	R	E	I	I	O	N	B	E	H	J	O	I
I	D	D	C	C	R	C	T	A	T	T	B	T	G	P
E	E	O	T	E	O	E	C	C	U	R	S	O	U	R
R	C	I	T	T	D	O	M	U	A	I	O	O	Q	A
X	O	I	O	I	N	E	M	I	G	E	R	L	R	C
N	R	R	U	D	B	J	N	C	F	D	R	S	M	T
C	P	G	U	M	R	O	F	T	A	L	P	U	S	I
M	A	C	T	S	E	T	W	K	I	Y	Z	U	L	C
Q	T	I	M	I	L	B	E	G	D	U	J	S	A	E

LAWS
LIMIT
NAMES
OBEY
ORDER
ORDINANCE
PLATFORM
POWER
PRACTICE
PRECEDENT
PROCEDURE
PROTOCOL
REGIMEN
REIGN
ROUTINE
RULE
SWAY
TEST
TOOLS
TRIED
WISE

ACTION
AUTHORITY
CANON
CONDUCT
CONTROL
CRITERION

FORMULA
GOSPEL
GUIDE
JUDGE
JURISDICTION
JUST

PUZZLE 60

ANTIQUE ARMCHAIRS

ARCHED
ARMS
COLONIAL
COMFORT
COVERINGS
CUSHION
DECORATIVE
ENGLISH
FEET
FRENCH
HANDMADE
HEADPIECE
HOLD
LEATHER
LEGS
LOAD
ORNATE
PLAIN
RELIC
RESTORED
SEAT
SIDEPIECES
SOLID
STAINED
STILES
STOCKY
STYLES
SUPPORTS
TRADITIONAL

L	D	F	M	D	E	R	O	T	S	E	R	Y	V	J
A	A	K	S	E	L	Y	T	S	D	D	A	K	C	C
I	O	V	O	S	R	G	D	A	L	C	D	C	R	C
N	L	K	L	B	I	E	M	O	O	E	X	O	L	Q
O	N	S	I	C	N	D	H	V	S	Z	G	T	D	K
L	O	V	D	G	N	C	E	T	R	M	K	S	W	N
O	I	B	L	A	N	R	V	P	A	E	R	T	I	G
C	H	I	H	E	I	S	I	B	I	E	L	A	L	F
S	S	J	R	N	A	R	T	O	E	E	L	I	W	Z
H	U	F	G	R	A	W	A	R	R	P	C	N	C	W
X	C	S	C	T	N	Y	R	Z	O	N	F	E	E	T
R	P	H	C	O	M	F	O	R	T	P	A	D	S	G
H	E	A	D	P	I	E	C	E	O	A	P	T	N	P
D	L	S	S	T	I	L	E	S	V	B	D	U	E	K
L	A	N	O	I	T	I	D	A	R	T	A	E	S	G

PUZZLE 61

BUSINESS DEAL

E	C	N	A	L	A	B	K	A	R	D	U	G	G	E
E	L	A	S	T	L	C	M	I	R	E	N	S	S	U
Y	R	T	I	D	E	R	C	E	G	I	K	L	E	R
O	E	D	G	H	Q	K	N	A	S	H	L	N	R	D
R	I	I	C	P	A	T	R	O	N	A	G	E	A	Q
D	N	O	N	M	U	E	L	A	C	D	G	B	H	B
E	V	E	J	V	V	C	C	L	M	U	N	K	S	S
R	O	H	G	E	E	C	O	S	L	L	I	B	F	T
O	I	L	L	O	O	S	N	A	Y	C	P	A	C	I
T	C	F	A	U	T	A	T	C	D	C	P	L	A	F
C	E	L	N	B	M	I	R	I	E	C	I	F	F	O
A	O	T	D	R	O	T	A	K	N	E	H	L	I	R
F	M	M	H	N	I	R	C	T	N	G	S	I	O	P
I	N	T	E	R	E	S	T	T	E	S	S	A	H	P
T	G	I	S	M	N	F	K	Y	U	R	W	X	F	S

ACCOUNT
ASSET
BALANCE
BANKER
BILLS
CALLS
CHECK
CLIENT
CLOSING
CONTRACT
CREDIT
FACTOR
INTEREST
INVESTING
INVOICE
LABOR
LEVERAGE
MARKET
MEMO
NEGOTIATE
OFFICE
ORDER
PATRONAGE
POLICY
PROFIT
REGULATION
RENT
RISK
SALE
SHARES
SHIPPING

PUZZLE 62

REDECORATE

T	H	D	C	G	C	G	H	C	T	A	W	S	J	G
H	U	E	O	X	H	S	C	S	N	S	N	Y	T	N
C	Y	C	C	C	O	H	S	A	E	S	U	O	H	I
K	R	O	W	D	O	O	W	G	R	D	S	L	N	G
O	A	R	Q	Y	S	O	N	M	E	P	A	T	W	N
O	C	A	Q	N	E	I	R	K	F	N	E	H	H	A
L	C	T	T	L	T	K	T	D	F	R	I	T	S	H
G	E	E	B	H	F	U	R	N	I	T	U	R	E	L
W	N	A	G	L	T	E	G	O	D	N	O	W	C	L
O	T	I	E	A	F	D	R	F	L	L	A	E	I	A
D	L	H	P	I	F	Q	E	U	O	K	I	T	R	W
N	S	X	N	U	I	O	T	C	T	L	K	L	E	P
I	P	I	L	L	O	W	S	R	I	C	P	A	P	C
W	S	C	H	A	I	R	N	N	I	D	I	M	A	B
H	S	D	N	I	L	B	G	P	S	M	E	P	P	S

ACCENT
BLINDS
CARPET
CEILING
CHAIR
CHOOSE
COLORS
COORDINATE
DECIDE
DECORATE
DIFFERENT
FINISH
FURNITURE
GROUPING
HOUSE
INTERIOR
LAMP
LIGHTING
LOOK
PAPER
PICK
PICTURE
PILLOWS
SHADES
SHELF
SOFA
SWATCH
TABLE
TRIM
WALL
HANGING
WINDOW
WOODWORK

COOL, CLEAR WATER

M	O	M	O	I	S	T	P	R	D	T	S	Y	M	S
E	R	I	P	S	N	A	R	T	A	V	N	P	S	E
C	T	W	E	L	L	S	O	I	D	T	H	A	G	P
D	S	U	C	E	P	T	P	J	C	Q	I	A	L	I
P	Y	E	B	H	E	R	E	W	P	K	N	O	S	P
P	E	L	D	E	E	E	L	O	B	I	L	O	N	S
J	X	K	P	A	S	A	L	R	A	H	A	E	U	O
A	U	N	S	P	M	M	E	R	T	K	E	R	H	X
E	U	I	O	R	U	S	D	U	H	V	F	Z	V	U
K	B	R	C	T	E	S	E	F	E	A	X	F	H	F
C	C	P	Q	R	Z	T	W	L	C	G	S	L	P	Z
Q	V	S	V	P	T	U	T	E	L	Z	Z	O	N	S
L	T	O	M	F	A	R	M	I	N	G	W	A	I	L
D	I	U	Q	I	L	A	K	E	M	E	T	T	O	L
R	P	O	O	L	B	S	L	A	R	E	T	A	L	V

BATHE
CROPS
DAMS
DRAINAGE
EMITTERS
FARMING

FLOAT
FURROW
LAKE
LATERALS
LEVEE
LIQUID

MOIST
NOZZLE
PIPES
PLANT
POOL
POWER
PROPELLED
PUMP
RATION
RESERVOIR
SEEP
SOAK
SOIL
SPRINKLE
STREAMS
SUPPLY
SURFACE
TRANSPIRE
TRICKLE
TUBES
WELLS

PUZZLE 64

AT THE PARK

L	D	P	S	F	R	I	S	B	E	E	D	N	O	P
R	L	S	I	S	E	G	D	I	R	B	A	A	V	A
S	B	S	K	C	A	N	S	C	P	S	S	S	K	T
Q	G	A	P	S	N	R	H	Y	G	B	N	T	O	H
T	L	O	L	I	R	I	G	C	K	S	O	A	C	S
N	E	R	D	L	I	H	C	L	R	S	E	T	Q	L
E	I	S	T	R	O	L	L	E	R	B	G	U	N	L
M	B	A	V	S	O	O	W	B	L	T	I	E	E	S
U	E	Z	T	O	A	O	N	A	I	R	P	S	E	G
N	N	D	P	N	L	N	N	S	R	D	U	E	A	N
O	C	S	I	F	U	K	D	E	E	O	R	M	X	I
M	H	L	O	L	E	O	L	B	R	T	E	R	N	W
C	O	U	R	T	S	S	F	A	O	S	A	D	B	S
O	T	R	E	C	N	O	C	L	V	X	U	K	R	F
D	N	U	O	R	G	Y	A	L	P	R	E	E	S	C

BALLOONS
BASEBALL
BENCH
BICYCLE
BLANKET
BRIDGE
CAROUSEL
CHILDREN
CONCERT
COURTS
DOGS
FLOWERS
FOUNTAIN
FRISBEE
GAMES
GRASS
MONUMENT
PATHS
PICNIC
PIGEONS
PLAYGROUND
POND
POOL
SANDBOX
SKATES
SLIDE
SNACKS
SQUIRRELS
STATUE
STROLLER
SWINGS
TREES

PUZZLE 65

SEVENTIES FILMS

S	W	Z	D	S	R	A	W	R	A	T	S	Q	N	T
A	O	Y	T	E	G	R	E	A	S	E	E	C	H	W
A	N	I	M	A	L	H	O	U	S	E	L	E	T	T
T	E	N	F	M	P	I	P	J	T	Y	D	G	H	A
F	S	J	I	N	O	E	V	R	A	E	D	E	E	X
A	P	I	E	E	R	T	O	E	E	W	A	M	R	I
H	Y	I	C	M	H	P	K	R	R	R	S	G	E	D
S	L	J	A	R	R	A	H	N	I	A	G	E	S	R
A	A	N	N	I	O	U	L	S	S	O	N	T	C	I
Z	C	E	A	E	N	X	T	L	O	M	I	C	U	V
Z	O	B	I	T	T	O	E	P	O	C	Z	A	E	E
O	P	U	E	R	C	W	M	E	K	Z	A	R	R	R
V	A	R	Q	A	R	A	O	G	H	N	L	T	S	Z
D	I	R	T	Y	H	A	R	R	Y	T	B	E	Q	T
P	H	S	N	S	X	A	C	Y	K	C	O	R	Q	Y

AIRPORT
ALIEN
ANIMAL HOUSE
ANNIE HALL
APOCALYPSE NOW
BENJI
BLAZING SADDLES
CARRIE
DELIVERANCE
DIRTY HARRY
GET CARTER
GREASE
JAWS
NETWORK
ROCKY
SHAFT
SHAMPOO
STAR WARS
SUPERMAN
TAXI DRIVER
THE ARISTOCATS
THE DEER HUNTER
THE EXORCIST
THE RESCUERS
TOMMY

PUZZLE 66

"BIG" THINGS

Z	K	U	H	T	X	R	B	Z	F	G	A	D	F	G
X	L	E	E	H	W	U	N	G	O	H	A	O	S	Y
K	E	I	I	G	S	K	X	W	O	R	B	M	T	S
R	E	P	P	I	D	K	C	U	T	O	O	N	E	K
T	M	O	N	N	L	I	S	I	A	C	Z	Y	L	J
O	T	E	W	E	I	E	M	H	T	U	O	M	N	B
H	S	G	L	Z	R	D	A	E	H	S	D	H	N	O
S	A	P	N	B	U	R	E	G	N	D	E	A	L	N
Z	P	A	D	A	O	C	E	A	U	B	T	E	L	E
A	M	R	W	N	B	R	O	T	H	E	R	T	S	D
E	C	S	S	D	U	U	P	I	B	I	A	E	Y	V
J	K	X	M	T	U	F	R	C	C	L	E	J	I	U
I	I	C	C	C	U	X	G	K	K	H	H	I	Q	A
X	Q	I	Y	M	W	F	E	E	C	J	K	R	C	W
H	P	D	U	Z	W	X	F	T	I	M	E	Z	X	T

APPLE
BAND
BANG
BONED
BROTHER
BUSINESS
CHEESE
DEAL
DIPPER
FOOT
GAME
HEAD
HEARTED
HOUSE
IDEA
LEAGUE
MOUTH
NAME
NIGHT
PICTURE
PROBLEM
SHOT
STICK
STUFF
TALK
TICKET
TIME
TOP
WHEEL

PUZZLE 67

POETRY CLASS

W	N	S	G	S	B	C	T	E	V	S	E	R	C	N
B	M	A	I	R	O	H	C	E	Y	C	E	Y	I	I
L	Y	T	C	A	D	N	T	N	L	Y	V	D	N	A
G	S	O	E	X	A	S	N	O	G	P	H	O	O	U
G	S	P	C	N	E	A	G	E	U	P	U	S	I	Q
E	I	M	O	P	Z	U	L	H	T	Y	Y	O	J	N
C	N	S	A	N	E	E	H	C	O	R	T	R	C	I
N	S	N	A	D	D	N	X	I	P	H	V	P	L	C
A	A	T	B	X	R	E	O	I	T	Y	C	I	E	A
N	S	L	U	D	W	I	E	I	G	M	M	Q	H	N
O	Z	O	X	X	K	B	G	J	S	E	U	B	P	Z
S	Y	L	L	A	B	L	E	A	R	N	S	D	O	O
N	O	I	T	A	R	E	T	I	L	L	A	T	R	N
O	D	R	V	W	I	L	C	I	R	Y	L	C	T	E
C	V	J	T	Q	F	K	P	S	S	E	R	T	S	Y

ELEGY
EPIC
GEST
IONIC
LIMERICK
LYRIC
MADRIGAL
ODES
PROSODY
RHYME
SCANSION
SONNET
SPONDEE
STANZA
STRESS
STROPHE
SYLLABLE
TROCHEE

ALLITERATION
ANAPEST
ASSONANCE
CANZONE
CHORIAMB

CINQUAIN
CONSONANCE
COUPLET
DACTYL
ECLOGUE

PUZZLE 68

GOLF SEASON

A	T	H	L	E	T	E	I	D	D	A	C	G	H	W
M	N	T	I	U	C	R	I	C	Q	O	A	A	H	H
S	G	D	E	A	G	L	E	G	X	R	Z	L	C	Z
C	B	N	R	Q	Z	O	A	K	H	A	M	F	T	T
O	P	U	T	T	E	R	M	F	R	T	G	N	I	H
R	A	O	L	K	I	Y	A	D	S	A	E	R	P	H
E	W	R	O	C	D	I	T	E	S	M	M	E	I	I
W	E	R	O	F	R	B	E	L	A	S	S	V	N	P
G	T	X	M	W	I	T	U	N	A	R	E	I	A	T
S	R	D	A	R	B	T	R	N	U	N	D	R	Z	T
T	A	Y	O	W	O	U	L	O	K	G	E	D	P	I
A	C	N	E	G	O	U	C	A	Q	E	I	P	L	Q
N	S	D	D	T	L	M	G	K	K	V	R	Q	U	Y
C	G	R	A	S	S	E	C	H	O	E	C	I	L	S
E	M	R	E	F	L	O	G	T	W	G	U	V	P	V

AMATEUR
ATHLETE
BIRDIE
BUNKER
CADDIE
CART
CIRCUIT
CLUBS
COURSE
DIVOT
DOGLEG
DRIVER
EAGLE
EIGHTEEN
FAIRWAY
FLAG
FORE
GOLFER
GRASS
GRIP
HAZARD
IRONS
LAKE
MARKER
PAR
PENALTY
PITCH
PRESS
PUTTER
ROUGH
ROUND
SCORE
SLICE
STANCE
STROKE
TEES
TOURNAMENT
WEDGE

OIL RIGS

O	S	R	B	C	S	P	F	S	X	X	M	J	H	N
F	T	K	H	O	S	D	R	I	L	L	I	N	G	Q
F	G	M	S	R	A	E	V	I	S	N	E	P	X	E
S	N	N	B	I	E	T	N	T	B	L	W	U	C	A
H	U	O	I	N	R	O	S	I	A	E	R	K	R	Z
O	D	P	I	G	R	I	I	P	L	E	E	C	E	F
R	N	G	P	T	G	K	M	L	D	E	T	A	W	M
E	N	I	H	O	C	O	S	A	O	I	P	J	D	U
E	R	S	L	I	R	U	L	T	C	G	O	I	S	D
G	E	O	R	N	L	T	D	F	K	H	C	G	P	T
A	E	R	S	C	A	F	F	O	L	D	I	N	G	A
G	E	G	R	A	B	E	R	R	R	R	L	N	P	N
D	I	S	M	R	O	T	S	M	A	P	E	K	E	K
S	R	O	Y	E	V	R	U	S	P	M	H	G	F	S
N	G	T	V	Q	G	M	O	B	I	L	E	G	S	U

ARCTIC
BARGE
BOATS
CORING
CREW
DERRICK
DOCK
DRILLING
ENGINEERS
EXPENSIVE
GEOLOGISTS
HELICOPTER
JACK-UP
LEGS
LOGGING
MACHINES
MOBILE
MUD TANKS
NORTH SEA
OFFSHORE
OIL
PIPELINES
PLATFORMS
PRODUCTION
RIGS
RISKS
SCAFFOLDING
STORMS
SUPPORT
 FRAME
SURVEYORS
WELLS

PUZZLE 70

FABRICS

Q	S	E	Y	T	V	C	W	N	I	L	S	U	M	H
A	T	E	F	F	A	T	N	S	Y	E	Q	B	F	B
M	C	V	Y	T	Z	P	O	Y	N	L	R	M	T	O
I	N	E	W	O	E	V	L	D	B	O	O	Y	P	E
N	S	E	T	R	R	D	R	N	C	E	T	N	E	W
E	E	E	C	A	K	U	O	A	E	I	Q	L	C	W
D	L	A	D	P	T	C	D	G	E	X	F	H	E	Z
L	L	V	A	O	I	E	N	R	I	L	I	E	E	M
E	C	U	M	L	K	O	E	O	O	N	L	K	L	J
N	H	E	A	Y	P	M	V	R	T	C	G	I	F	T
N	I	C	S	E	H	Y	O	Z	P	X	C	H	A	X
A	F	C	K	S	H	A	N	T	U	N	G	U	A	F
L	F	S	A	T	E	E	N	G	R	O	G	R	A	M
F	O	C	L	E	L	L	U	T	D	B	J	T	F	T
E	N	I	D	R	A	B	A	G	U	N	N	Y	Q	U

ACETATE
BROCADE
CALICO
CASHMERE
CHIFFON
CHINTZ
CORDUROY
DAMASK
DENIM
FAILLE
FELT
FLANNEL
FLEECE
GABARDINE
GINGHAM
GROGRAM
GUNNY
MELTON
MUSLIN
NYLON
ORGANDY
ORLON
PERCALE
POLYESTER
PONGEE
SATEEN
SHANTUNG
TAFFETA
TULLE
TWEED

PUZZLE 71

RIVERBOATS

S	F	R	A	H	W	Y	E	G	R	N	B	M	Z	P
F	P	N	I	A	W	T	K	R	A	M	P	I	E	R
W	A	O	M	V	S	H	C	N	A	R	B	S	D	T
N	A	T	C	H	E	Z	E	D	P	P	A	T	N	F
Y	R	T	H	T	D	R	N	R	G	L	I	Y	A	A
J	O	A	E	O	I	R	B	N	M	N	V	D	L	R
M	T	U	B	R	M	A	I	O	L	G	Y	D	S	E
X	E	D	B	D	E	D	N	C	A	E	I	U	I	I
L	O	A	D	I	N	G	H	M	N	T	V	M	V	J
R	N	F	N	U	T	A	B	H	D	N	D	E	O	J
K	K	C	O	D	N	L	S	H	I	E	E	T	E	E
W	U	S	R	N	E	I	J	S	N	R	L	J	O	T
I	O	I	E	R	F	R	E	G	G	R	T	N	C	T
P	F	L	U	A	E	T	A	B	N	U	A	Y	A	Y
T	C	L	F	O	R	K	G	S	K	C	O	R	C	D

BANK
BATEAU
BRANCH
BUOY
CANOE
CHANNEL
CURRENT
DELTA
DOCK
DRIFT
FATHOM
FISH
FLOW
FORK
GAMBLER
ISLAND
JETTY
LANDING
LEVEE
LOADING
MARK TWAIN
MEANDER
MIST
MUDDY
NATCHEZ
PIER
RAFT
RAPIDS
RIVERBOAT
ROCKS
SALMON
SANDBAR
SEDIMENT
SOUNDING
WATER
WHARF

FANTASTIC FOOTBALL

E	G	V	G	N	R	B	E	D	I	S	F	F	O	S
L	L	A	I	Y	X	H	E	N	D	Z	O	N	E	E
T	G	D	I	O	C	L	C	J	P	L	K	A	S	P
D	R	L	D	N	L	O	E	U	P	U	S	N	E	Q
Y	C	A	E	U	M	A	N	E	I	O	E	E	S	G
T	K	B	I	P	H	T	T	V	N	F	J	G	S	R
L	S	W	L	N	H	S	L	I	E	T	V	A	O	I
A	E	E	S	L	E	C	C	D	O	R	D	M	L	D
N	T	S	E	D	O	R	T	U	P	N	S	M	U	I
E	A	H	I	R	E	K	C	A	B	E	N	I	L	R
P	C	S	T	S	E	H	K	I	C	K	E	R	O	O
T	K	A	G	C	D	F	U	L	L	B	A	C	K	N
C	L	D	J	O	M	A	E	T	Y	O	R	S	S	Z
T	E	M	W	R	A	K	D	R	A	U	G	S	J	S
B	H	N	L	E	B	L	I	T	Z	K	K	E	B	T

BENCH
BLITZ
CATCH
CONVERSION
DASH
DEFENSE
END ZONE
FOUL
FULLBACK
GAIN
GOAL
GRIDIRON
GUARD
HUDDLE
INCOMPLETE
KICKER
LINEBACKER
LOSSES
OFFSIDE
PASS
PENALTY
PUNT
REFEREES
SCORE
SCRIMMAGE
SEASON
SIDESTEP
TACKLE
TEAM
TOUCHDOWN
TRAINER
VIOLATION

PUZZLE 73

THE CAMERA

M	Q	S	D	E	E	P	S	E	W	F	P	M	F	Q
V	W	G	L	A	R	E	K	R	Q	I	P	A	I	I
E	G	A	M	I	T	R	L	U	E	L	Y	T	X	B
Z	I	N	S	T	A	N	T	T	F	T	A	A	E	P
R	K	D	I	D	X	G	D	R	A	E	T	L	R	H
L	A	N	D	S	C	A	P	E	S	R	G	U	U	T
R	G	N	A	Y	O	N	K	P	T	N	U	I	H	M
E	S	L	G	T	E	F	H	A	A	N	U	O	T	S
N	N	W	O	E	H	T	L	E	C	P	I	R	N	S
N	E	Y	R	S	F	G	D	U	T	F	I	T	I	E
A	L	C	K	Q	S	I	I	Y	I	P	S	E	R	H
C	S	Y	A	X	W	Y	N	L	O	D	A	T	P	T
S	W	O	D	A	H	S	J	D	N	S	Q	N	O	O
R	E	P	O	L	E	V	E	D	E	U	O	P	T	P
E	Y	O	K	C	A	R	Q	L	J	R	S	C	G	E

ALUM
APERTURE
DARK
DEVELOPER
EASEL
FAST ACTION
FILTER
FIXER
FLUID
F-STOP
GLARE
GLOSSY
IMAGE
INSTANT
KODAK
LANDSCAPES
LENS
PRINT
RACK
RANGE FINDER
SCANNER
SCREEN
SETTING
SHADOWS
SHUTTER
SPEED
SPOT
SUNLIGHT
TINTED
TRAY
TRIPOD
WIDE-ANGLE

FIRST TO THE MOON

U	O	M	R	A	L	A	R	H	B	V	I	B	U	R
T	Y	I	Y	D	F	A	H	E	L	M	E	T	Q	W
B	O	E	D	I	E	N	W	Q	T	H	G	I	L	D
Q	K	R	I	A	F	T	F	F	O	E	K	A	T	E
T	N	U	Q	Y	R	E	E	V	A	W	M	S	Q	C
E	A	S	Q	U	L	N	D	C	D	N	U	M	A	O
G	T	S	V	T	E	N	W	L	T	D	P	B	A	D
A	Y	E	A	X	C	A	E	G	A	O	L	I	G	E
T	H	R	H	C	T	I	W	S	X	E	R	N	A	L
S	R	P	O	I	H	G	M	I	W	L	I	H	S	T
P	D	A	B	S	R	L	D	S	O	D	L	V	E	T
E	A	R	T	A	C	I	E	C	O	R	O	U	S	O
Y	O	D	P	S	Z	O	K	C	H	C	H	D	H	B
I	L	H	S	E	B	N	P	Y	T	I	V	A	R	G
A	Z	G	R	O	T	A	R	E	N	E	G	Q	X	Z

AIR LOCK
ALARM
AMMETER
ANTENNA
BOTTLE
CABLE
CODING
COSMIC
DECODE
DETECTOR
DUST
GASES
GENERATOR
GRAPH
GRAVITY
GYROSCOPE
HELMET
HULL
LIGHT
LOAD
ORBIT
OXIDIZER
PADS
PRESSURE
RADIO
SHIELD
STAGE
START
SWITCH
TAKEOFF
TANK
TORQUE
WAVE

PUZZLE 75

START WITH "M"

H	H	M	M	M	Y	H	L	Y	R	E	T	S	Y	M
T	R	A	A	O	A	C	T	I	M	M	C	V	E	W
U	N	N	N	E	M	R	I	Y	A	X	Q	G	X	N
O	B	C	S	C	N	E	S	G	M	S	N	K	O	G
M	M	H	I	N	W	T	N	H	A	A	N	I	L	D
U	C	I	O	E	I	O	U	T	M	M	T	I	R	X
H	G	N	N	C	L	Q	Q	D	U	A	Q	A	A	X
Y	R	E	N	I	H	C	A	M	L	M	L	M	I	M
F	U	E	A	F	C	W	I	U	J	L	O	L	N	I
I	H	L	E	I	E	S	P	R	A	L	T	A	O	M
N	V	X	N	N	T	I	O	M	E	M	L	H	R	W
G	C	V	I	G	N	M	V	H	U	X	E	Z	A	M
A	I	S	M	A	C	K	I	N	A	W	I	D	C	C
M	Y	B	M	M	A	L	L	I	T	N	A	M	A	L
M	A	N	F	U	L	L	N	Q	L	R	H	D	M	L

MANFUL
MANGE
MANIPULATION
MANSION
MANTILLA
MARSHMAL-
LOW
MEDAL
MINE
MIST
MIXER
MOAT
MOLEHILL
MOMENTUM
MACARONI
MACHINERY
MACKINAW
MAGIC
MAGNIFICENCE
MAGNIFY
MAGNOLIA
MAINSAIL
MALLARD
MANCHINEEL
MOUTH
MYSTERY
MYSTIC
MYTH

PUZZLE 76

PHOTOGRAPHERS

N	S	B	M	W	T	I	E	L	K	Z	X	R	N	N
O	D	U	O	M	F	T	E	G	T	A	W	O	Q	I
R	E	R	A	A	I	N	N	I	C	A	T	M	T	L
E	P	R	O	H	T	E	L	P	P	A	M	E	O	L
M	A	O	W	G	U	G	Q	N	E	Y	M	G	B	U
A	I	W	G	N	E	E	A	B	O	E	D	N	B	C
C	C	S	N	I	R	G	L	R	R	T	H	A	A	C
Z	N	O	T	N	E	F	D	S	D	C	T	L	R	M
F	B	S	U	N	R	D	O	I	M	N	L	U	T	B
O	B	S	X	U	W	N	J	R	R	A	E	L	H	I
X	N	E	H	C	I	E	T	S	H	B	N	R	K	M
W	T	M	C	Z	H	A	D	A	M	S	Y	N	O	D
X	U	A	R	O	B	I	N	S	O	N	A	U	M	H
N	P	T	S	E	V	A	N	S	P	R	T	I	M	E
A	T	T	F	A	Y	J	X	E	F	R	Y	L	O	F

ABBOT
ADAMS
ATGET
BEATON
BRADY
BURROWS
CALLAHAN
CAMERON
CAPA
CUNNINGHAM
EMERSON
EVANS
FENTON
FRANK
GARDNER
HINE
HUTTON
LANGE
MAPPLETHORPE
MCCULLIN
MUYBRIDGE
ROBINSON
STEICHEN
STIEGLITZ
TAMES
UELSMANN
WHITE

PUZZLE 77

RELIGION

R	S	U	K	K	O	T	S	Q	A	U	K	O	J	V
K	R	U	P	M	T	Z	C	P	G	J	J	A	H	I
Z	E	D	I	P	S	E	J	I	S	L	A	M	T	L
H	K	N	O	M	R	O	M	E	L	T	S	O	P	A
H	A	I	Z	I	E	O	P	P	V	O	L	H	E	W
Q	U	H	B	S	K	I	T	O	L	S	H	B	I	I
Q	Q	B	Z	S	N	H	S	E	R	E	U	T	D	D
E	A	Q	Z	A	U	A	E	E	S	D	W	T	A	L
R	G	Y	K	L	D	T	K	M	D	T	S	Y	L	C
R	E	V	O	S	S	A	P	H	S	I	A	E	F	M
I	E	P	R	C	H	R	I	S	T	I	A	N	I	N
Y	N	Y	U	S	M	S	E	P	Z	S	A	Z	T	L
B	P	K	A	R	M	T	A	U	T	E	U	D	R	G
X	C	S	Y	R	I	B	X	E	I	L	P	N	U	W
Y	A	W	J	R	P	M	R	Z	J	Q	W	M	N	J

EID AL-FITR
HAJJ
HINDU
ISLAM
JUDAISM
MISSAL
MORMON
PASSOVER
PRAYER
PROTESTANT
PURIM
QUAKERS
RABBI

APOSTLE
BAPTIST
BUDDHISM
CATHOLIC

CHRISTIAN
DIWALI
DUNKERS
EASTER

RITES
SHAKERS
SUKKOT
TEMPLE

PUZZLE 78

BODY PARTS

Y	K	N	B	T	U	S	V	B	C	X	L	G	N	E
U	S	O	D	K	G	D	S	S	D	L	E	I	C	Y
Q	R	S	N	E	S	S	A	E	R	C	N	A	P	R
T	A	E	L	S	Y	T	H	S	C	E	F	G	I	S
C	E	T	E	E	F	O	S	O	H	N	G	I	I	Q
S	V	C	N	C	Z	M	Y	I	U	I	E	N	J	T
J	L	D	H	N	I	A	R	B	R	L	N	C	I	T
H	I	E	T	E	N	C	C	B	A	W	D	S	E	F
K	V	L	E	K	S	H	E	A	D	S	G	E	O	S
Z	E	D	L	H	I	T	G	C	E	N	T	U	R	Y
T	R	E	Q	N	S	U	O	K	U	H	Y	V	J	S
T	S	S	L	N	E	O	E	L	G	Q	E	U	E	R
C	O	M	P	A	Y	M	H	A	N	D	S	L	I	O
K	C	E	N	I	E	N	E	M	O	D	B	A	B	C
A	R	M	S	O	H	E	A	R	T	C	H	Q	J	G

ABDOMEN
ANKLES
ARMS
BACK
BRAIN
CHEST
CHIN
EARS
EYES
FACE
FEET
FINGERS
HAIR
HANDS
HEAD
HEART
HEELS
HIPS
KIDNEYS
KNEES
LEGS
LIPS
LIVER
LUNGS
MOUTH
NECK
NOSE
PANCREAS
SHINS
SHOULDERS
STOMACH
TEETH
TOES
TONGUE
UVULA
WRISTS

PUZZLE 79

DOUBLE-DUTY

F	E	A	T	U	R	E	S	A	G	E	N	T	F	L
B	T	E	N	C	V	D	U	T	C	H	A	N	A	C
O	A	Y	E	D	G	E	D	E	A	P	G	G	U	T
I	D	N	M	E	R	D	N	E	T	N	E	P	L	Z
L	N	M	E	M	I	T	K	X	A	B	D	K	T	E
E	Y	D	V	T	E	A	N	P	L	Y	K	A	V	I
R	N	V	E	R	T	C	G	O	T	D	R	I	R	M
C	Y	D	I	M	H	A	S	S	A	R	T	T	N	D
L	E	N	H	E	N	S	B	U	R	A	G	K	N	E
L	G	D	C	L	O	I	C	R	G	P	C	H	H	E
I	O	K	A	M	I	C	T	E	N	O	I	S	I	V
B	B	D	D	E	L	S	N	Y	L	E	N	D	T	A
Q	O	N	W	O	R	C	S	B	D	J	F	I	C	G
M	I	N	T	R	I	P	L	A	Y	H	F	M	H	J
B	F	H	D	B	L	U	S	A	B	L	Z	J	B	C

ACHIEVEMENT
AGENT
ALTAR
BASS
BATTEN
BILL
BIND
BLOCK
BLOSSOM
BOGEY
BOILER
BOND
CENTERING
CHECK
CHIN
CLOTH
CROWN
DATE
DUTCH
EAGLE
EDGED
ENTENDRE
ENTRY
EXPOSURE
FAULT
FEATURE
HITCH
INDEMNITY
JEOPARDY
MODAL
NEGATIVE
PLAY
SPREAD
STANDARD
TAKE
TIME
VISION

WESTERN ARTISTS

ANDRES
ARMSTRONG
BAUMHOFER
BEAUREGARD
BEELER
CARY
CASSIDY
CHIRIACKA
EDWARDS
FELLOWS
GAGE
GOLLINGS
HENNING
LEIGH
MARCHAND
PARSONS

Z	A	C	F	L	E	I	G	H	T	I	M	S	R	G
R	U	S	S	E	L	L	T	D	S	U	Y	I	E	J
O	A	K	C	A	I	R	I	H	C	N	D	C	L	C
T	N	H	O	Y	R	M	R	S	U	H	I	B	E	E
C	D	I	F	O	H	E	S	B	D	R	S	L	E	C
O	R	D	R	C	Y	T	F	P	P	R	S	M	B	A
R	E	R	S	V	A	S	Y	O	N	A	A	T	G	R
P	S	A	O	N	D	L	P	O	H	R	C	W	O	Y
H	H	G	L	D	E	P	T	O	C	M	G	L	D	N
I	E	E	A	N	E	G	A	H	O	S	U	E	I	E
L	Y	R	Z	C	N	W	A	R	L	T	E	A	K	Q
L	V	U	E	I	G	N	A	G	S	R	S	A	B	I
I	H	A	M	S	D	F	E	L	L	O	W	S	P	V
P	H	E	N	N	I	N	G	F	D	N	N	Q	B	D
S	R	B	M	G	O	L	L	I	N	G	S	S	U	Y

PHILLIPS
PRICE
PROCTOR
PYLE
REEDY
REMINGTON
RODEWALD
RUSSELL
SCHMIDT
SHREYVOGEL
SMITH
STANLEY
STOOPS
THURSTON
YOHN

PUZZLE 1

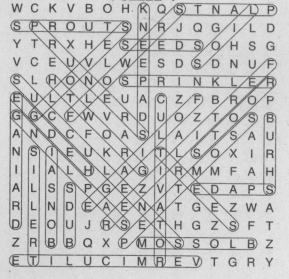

```
W C K V B O H K Q S T N A L P
S P R O U T S N R J Q G I L D
Y T R X H E S E E D S O H S G
V C E U V L W E S D S D N U F
S L H O N O S P R I N K L E R
E U L T L E U A C Z F B R O P
G G C F W V R D U O Z T O S B
A N D C F O A S L A I T S A U
N S I E U K R I T L S O X I R
I I A L H L A G I R M M F A H
A L S S P G E Z V T E D A P S
R L N D E A E N A T G E Z W A
D E O U J R S E T H G Z S F T
Z R B B Q X P M O S S O L B Z
E T I L U C I M R E V T G R Y
```

PUZZLE 2

```
I Q Z V D O E T A L O C O H C
A O C O C L L L T E L R A C S
E C S H Y S A R Y U O O N R Y
M E E T V B E R T S M B N P R
A R E N A D O N E B A B E V R
U U Y S N V A E S M G L H A E
V L T E I L I Y L L E K M D H
E E V Y P E S L U R N D A O C
R A R G D G H R I W T M L D N
L N G M I N C E M M A R O O N
Z E E K I E U A V S B L L V G
T E A L H L F G K I E N N E R
T H G I N D I M R S L P L U N
K L N R E P P O C U E O I E T
D K S H V L Q S N G B I P A B
```

PUZZLE 3

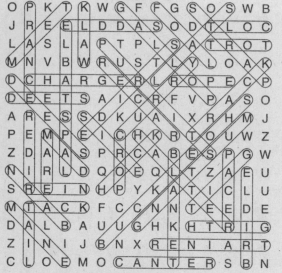

```
O P K T K W G F F G S O S W B
J R E E L D D A S O D T L O C
L A S L A P T P L S A T R O T
M N V B W R U S T L Y L O A K
D C H A R G E R L R O P E C P
D E E T S A I C R F V P A S O
A R E S S D K U A I X R H M J
P E M P E I C H K R T O U W Z
Z D A A S P R C A B E S P G W
N I R L D Q O E Q L T Z A E U
S R E I N H P Y K A T I C L U
M T A C K F C C N N T E E D E
D A L B A U U G H K H T R I G
Z I N I J B N X R E N I A R T
C L O E M O C A N T E R S B N
```

PUZZLE 4

```
D G U O G N O C E T A M I L C
M I N T N U S A D A E T T O H
B A H O I T H A I L A N D E S
B T N A L P Y H S U B K R O A
S E Z T E O G W R S C B U B O
N O V K E T O A I A A C H Z C
V F I E J I S Q L L H F A E Y
G R Q L R G V B A O E L R J R
B A O M A A X M N O K E D A E
Z Y M B D C G G K C M A Y S S
C N A R A F I E A O A F R M R
D E K C U L P D N A H B H I U
T K W H G B Q I I B S U S N N
I C E D T E A T H T R D D E V
M J M K X L A B C H Y S O N G
```

PUZZLE 5

```
S N S E I T I L I C A F P S R
C R E M A R T S E H C R O E S
A L O M A Q S S F U T N L R Z
M R M I H E J H P S I D E U E
P G E G N S T P O T V C N T B
U H M I N U E A D A I E L A N
S A O U F I J R N F T F S N B
T R R T F X M G F F I K E G S
S W I A O A A O I P E J S I T
R M E S D G C T C T S N S S N
H K S S D N R U B E A V A E E
P R I N C I P A L L M V L C D
B A S E B A L L P T W O C N U
K Y J C C L U B S H Y M H A T
U S E R O M O H P O S E X D S
```

PUZZLE 6

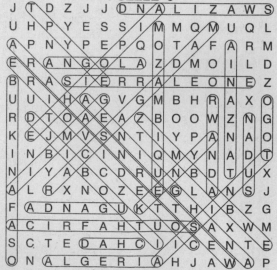

```
J T D Z J J D N A L I Z A W S
U H P Y E S S I M M Q M U Q L
A P N Y P E P Q O T A F A R M
E R A N G O L A Z D M O I L D
B R A S I E R R A L E O N E Z
U U I H A G V G M B H R A X O
R D T O A E A Z B O O W Z N G
K E J M V S N T I Y P A N A O
I N B I C I N I Q M Y N A D T
N I Y A B C D R U N B D T U X
A L R X N O Z E E G L A N S J
F A D N A G U K T T H I B Z G
A C I R F A H T U O S A X W M
S C T E D A H C I I C E N T E
O N A L G E R I A H J A W A P
```

PUZZLE 7

```
R E T L E H S K R L L O C A L
V F D D H X M E I E S I C X E
G O V E R N M E N T F C R S D
Y R S F D O N S U R O U A P T
Q M L X C U E T A U U L N Y A
R S L N S S C A N U E T L D Y
O R I F N F I T P S D P E T V
T I B E O Y A T I C M I L R E
J T P D I N T O E O I A T S L
V X G E T N L R C M N E G S F
E V L R P Y K N E E I S I E Z
I I X A M G K E P P R Z D S X
F J C L E J A Y W F O G E S W
E E W O X Y R U S A E R T A F
X L F A E T A T S W A L P Z Y
```

PUZZLE 8

```
Z H F S R E N D I N G P A F J
Q V T H M D U M F G N D I C E
R G N I N R O M S V O I G L F
T Q T F A N O O N I O I D Q S
Z V K T T E R M R L M D E S S
H E I A H C U E O N I S R T B
P O D M E U P N E M N B P B F
N V U A A R R T Y U E S A A E
Y D L R C R B S R T G E L I N
M A Z E M E C A D U G L B L H
N T D O R N D H S A A C L N L
N E N N E T E D S P Y Y K S H
V T C L O C K S S L Q C S G I
H K E E W M A E P O C H P B W
U I Q Z C P X U R E M M U S B
```

PUZZLE 9

```
V S R P U O S P E C I A L S B
E F R S C O U P O N S F D F A
G G R A D J S N B O J E O O G
E D G U J O D S A Q W M O F S
T P O S O I O P H B A C F Z A
A O F O M L O G S E L P A T S
B U T E F B F T R E L E E E J
L L N J I T N C R E C V S V K
E T J N D Z E K E U P E E N C
S R S N A C Z P D R E A F S Z
H Y Q C I F O O K H E J P L I
K D A E R B R L C T E A I K O
V K C U Y P F R O A I S L E S
E L I N E S R U T E R I E L K
Q T P H G E A F S M M T D D U
```

PUZZLE 10

```
V N M I C R O N I D N U O P K
M U I Q Z T O B M D N O C E S
X Q R V U L T E I G U U I R R
G R U H L A T A L E D N A C L
C L Q A H E D Z W G C C B E A
N E G N R E K R K H E E H N G
A O S W F T C N A E G S G T N
I H O R B A S T E N U S E S O
D V R P A M T R A B T T T Q L
A K H J S P G H Q R A N U I R
R E W O P E S R O H E I N V U
E A Z U D R L M I M N P I M F
T L T L A E R B I T N X M L S
S K O E H L T E A S P O O N P
G R A M S A R L I T E R A C W
```

PUZZLE 11

```
M U Y E J I A M A O G D E N Z
B R U J T I O O Q D T Q U A K
H S E M L T D N H S R C S V R
A U L E B A E L E M I I T I E
R L M N R E D N A X E L A T N
P A E I H I R H N B K F C N I
O E R L R E A T X A I A E S L
R D C E Z R E A O I K H A L E
N E N D B U N S G L L D C D G
E E N A G I B A I L O I P R N
T U S E L A T T E R E V E T A
T X N O L R A N A I P M Y L O
E E G M M R O R V I L L E T F
Z U D A L L A J O T I S M B P
F I S R A Z Z Y G N I V R I H
```

PUZZLE 12

```
A F L E R O M H S A O R R M G
L E S C Y Y E V I D A C C A L
D E O N T L A C E P E D E U L
A R A E W O B L C C O M O R O
B G C D R D O R R E L C M I D
R N W I H M E P Q I A E A T G
A O R V S I Y K D N N D L I R
H L D O T V B S N T F S D U J
Y E C R T I Q A A A O Y I S A
U O A P I I G W R G M T V D V
B C C R N G A Q A R A A E I A
I U V I D I U H T M O L D H V
D M A H N H C E G C E W A N M
A S V Z A I X D S A W U A M A
H K B R Z X M N O I N U E R Y
```

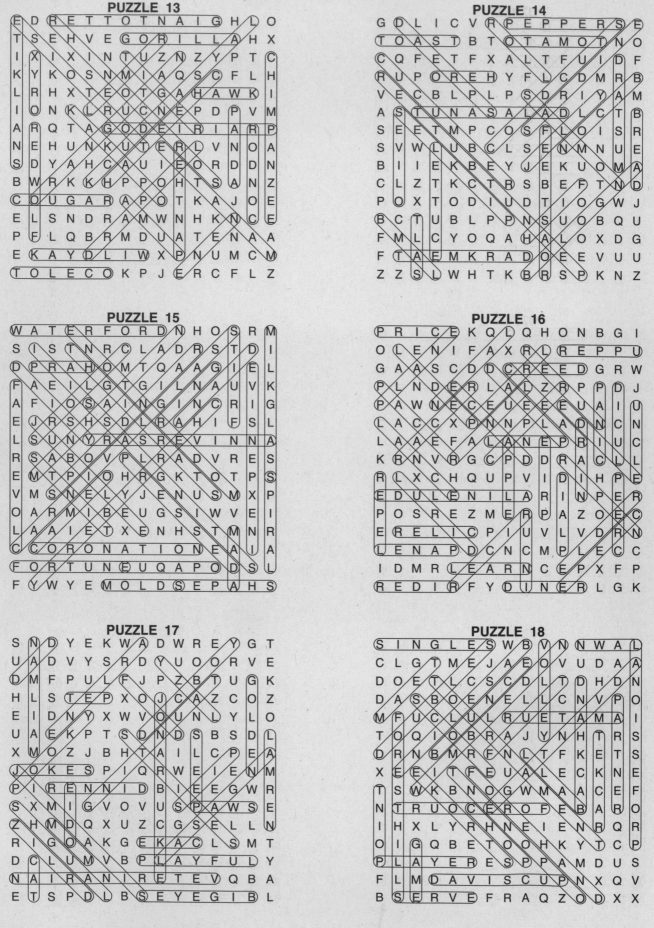

PUZZLE 13

E	D	R	E	T	T	O	T	N	A	I	G	H	L	O
T	S	E	H	V	E	G	O	R	I	L	L	A	H	X
I	X	I	X	I	N	T	U	Z	N	Z	Y	P	T	C
K	Y	K	O	S	N	M	I	A	Q	S	C	F	L	H
L	R	H	X	T	E	O	T	G	A	H	A	W	K	I
I	O	N	K	L	R	U	C	N	E	P	D	P	V	M
A	R	Q	T	A	G	O	D	E	I	R	I	A	R	P
N	E	H	U	N	K	U	T	E	R	L	V	N	O	A
S	D	Y	A	H	C	A	U	I	E	O	R	D	D	N
B	W	R	K	K	H	P	P	O	H	T	S	A	N	Z
C	O	U	G	A	R	A	P	O	T	K	A	J	O	E
E	L	S	N	D	R	A	M	W	N	H	K	N	C	E
P	F	L	Q	B	R	M	D	U	A	T	E	N	A	A
E	K	A	Y	D	L	I	W	X	P	N	U	M	C	M
T	O	L	E	C	O	K	P	J	E	R	C	F	L	Z

PUZZLE 14

G	D	L	I	C	V	R	P	E	P	P	E	R	S	E
T	O	A	S	T	B	T	O	T	A	M	O	T	N	O
C	Q	F	E	T	F	X	A	L	T	F	U	I	D	F
R	U	P	O	R	E	H	Y	F	L	C	D	M	R	B
V	E	C	B	L	P	L	P	S	D	R	I	Y	A	M
A	S	T	U	N	A	S	A	L	A	D	L	C	T	B
S	E	E	T	M	P	C	O	S	F	L	O	I	S	R
S	V	W	L	U	B	C	L	S	E	N	M	N	U	E
B	I	I	E	K	B	E	Y	J	E	K	U	O	M	A
C	L	Z	T	K	C	T	R	S	B	E	F	T	N	D
P	O	X	T	O	D	I	U	D	T	I	O	G	W	J
B	C	T	U	B	L	P	P	N	S	U	O	B	Q	U
F	M	L	C	Y	O	Q	A	H	A	L	O	X	D	G
F	T	A	E	M	K	R	A	D	O	E	E	V	U	U
Z	Z	S	L	W	H	T	K	B	R	S	P	K	N	Z

PUZZLE 15

W	A	T	E	R	F	O	R	D	N	H	O	S	R	M
S	I	S	T	N	R	C	L	A	D	R	S	T	D	I
D	P	R	A	H	O	M	T	Q	A	A	G	I	E	L
F	A	E	I	L	G	T	G	I	L	N	A	U	V	K
A	F	I	O	S	A	I	N	G	I	N	C	R	I	G
E	J	R	S	H	S	D	L	R	A	H	I	F	S	L
L	S	U	N	Y	R	A	S	R	E	V	I	N	N	A
R	S	A	B	O	V	P	L	R	A	D	V	R	E	S
E	M	T	P	I	O	H	R	G	K	T	O	T	P	S
V	M	S	N	E	L	Y	J	E	N	U	S	M	X	P
O	A	R	M	I	B	E	U	G	S	I	W	V	E	I
L	A	A	I	E	T	X	E	N	H	S	T	M	N	R
C	C	O	R	O	N	A	T	I	O	N	E	A	I	A
F	O	R	T	U	N	E	U	Q	A	P	O	D	S	L
F	Y	W	Y	E	M	O	L	D	S	E	P	A	H	S

PUZZLE 16

P	R	I	C	E	K	Q	L	Q	H	O	N	B	G	I
O	L	E	N	I	F	A	X	R	L	R	E	P	P	U
G	A	A	S	C	D	D	C	R	E	E	D	G	R	W
P	L	N	D	E	R	L	A	L	Z	R	P	P	D	J
P	A	W	N	E	C	E	U	E	E	E	U	A	I	U
L	A	C	C	X	P	N	N	P	L	A	D	N	C	N
L	A	A	E	F	A	L	A	N	E	P	R	I	U	C
K	R	N	V	R	G	C	P	D	D	R	A	C	L	L
R	L	X	C	H	Q	U	P	V	I	D	I	H	P	E
E	D	U	L	E	N	I	L	A	R	I	N	P	E	R
P	O	S	R	E	Z	M	E	R	P	A	Z	O	E	C
E	R	E	L	I	C	P	I	U	V	L	V	D	R	N
L	E	N	A	P	D	C	N	C	M	P	L	E	C	C
I	D	M	R	L	E	A	R	N	C	E	P	X	F	P
R	E	D	I	R	F	Y	D	I	N	E	R	L	G	K

PUZZLE 17

S	N	D	Y	E	K	W	A	D	W	R	E	Y	G	T
U	A	D	V	Y	S	R	D	Y	U	O	O	R	V	E
D	M	F	P	U	L	F	J	P	Z	B	T	U	G	K
H	L	S	T	E	P	X	O	J	C	A	Z	C	O	Z
E	I	D	N	Y	X	W	V	O	U	N	L	Y	L	O
U	A	E	K	P	T	S	D	N	D	S	B	S	D	L
X	M	O	Z	J	B	H	T	A	I	L	C	P	E	A
J	O	K	E	S	P	I	Q	R	W	E	I	E	N	M
P	I	R	E	N	N	I	D	B	I	E	E	G	W	R
S	X	M	I	G	V	O	V	U	S	P	A	W	S	E
Z	H	M	D	Q	X	U	Z	C	G	S	E	L	L	N
R	I	G	O	A	K	G	E	K	A	C	L	S	M	T
D	C	L	U	M	V	B	P	L	A	Y	F	U	L	Y
N	A	I	R	A	N	I	R	E	T	E	V	Q	B	A
E	T	S	P	D	L	B	S	E	Y	E	G	I	B	L

PUZZLE 18

S	I	N	G	L	E	S	W	B	V	N	N	W	A	L
C	L	G	T	M	E	J	A	E	O	V	U	D	A	A
D	O	E	T	L	C	S	C	D	L	T	D	H	D	N
D	A	S	B	O	E	N	E	L	L	C	N	V	P	O
M	F	U	C	L	U	L	R	U	E	T	A	M	A	I
T	O	Q	I	O	B	R	A	J	Y	N	H	T	R	S
D	R	N	B	M	R	F	N	L	T	F	K	E	T	S
X	E	E	I	T	F	E	U	A	L	E	C	K	N	E
T	S	W	K	B	N	O	G	W	M	A	A	C	E	F
N	T	R	U	O	C	E	R	O	F	E	B	A	R	O
I	H	X	L	Y	R	H	N	E	I	E	N	R	Q	R
O	I	G	Q	B	E	T	O	O	H	K	Y	T	C	P
P	L	A	Y	E	R	E	S	P	P	A	M	D	U	S
F	L	M	D	A	V	I	S	C	U	P	N	X	Q	V
B	S	E	R	V	E	F	R	A	Q	Z	O	D	X	X

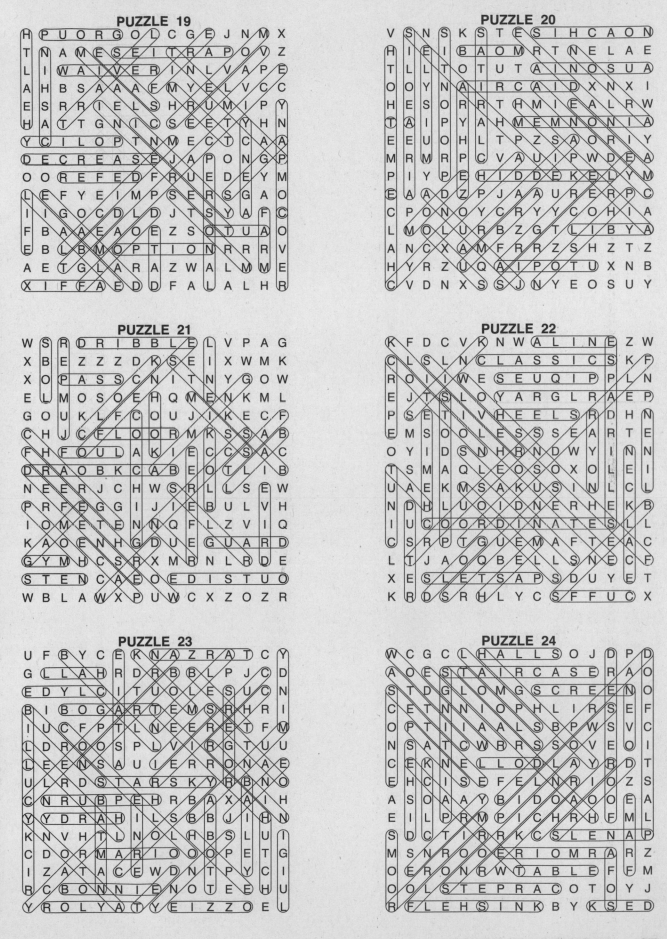

PUZZLE 19

H	P	U	O	R	G	O	L	C	G	E	J	N	M	X
T	N	A	M	E	S	E	I	T	R	A	P	O	V	Z
L	I	W	A	I	V	E	R	I	N	L	V	A	P	E
A	H	B	S	A	A	A	F	M	Y	E	L	V	C	C
E	S	R	R	I	E	L	S	H	R	U	M	I	P	Y
H	A	T	T	G	N	I	C	S	E	E	T	Y	H	N
Y	C	I	L	O	P	T	N	M	E	C	T	C	A	A
D	E	C	R	E	A	S	E	J	A	P	O	N	G	P
O	O	R	E	F	E	D	F	R	U	E	D	E	Y	M
L	E	F	Y	E	I	M	P	S	E	R	S	G	A	O
I	I	G	O	C	D	L	D	J	T	S	Y	A	F	C
F	B	A	A	E	A	O	E	Z	S	O	T	U	A	O
E	B	L	B	M	O	P	T	I	O	N	R	R	R	V
A	E	T	G	L	A	R	A	Z	W	A	L	M	M	E
X	I	F	F	A	E	D	D	F	A	L	A	L	H	R

PUZZLE 20

V	S	N	S	K	S	T	E	S	I	H	C	A	O	N
H	I	E	I	B	A	O	M	R	T	N	E	L	A	E
T	L	L	T	O	T	U	T	A	I	N	O	S	U	A
O	O	Y	N	A	I	R	C	A	I	D	X	N	X	I
H	E	S	O	R	R	T	H	M	I	E	A	L	R	W
T	A	I	P	Y	A	H	M	E	M	N	O	N	I	A
E	E	U	O	H	L	T	P	Z	S	A	O	R	I	Y
M	R	M	R	P	C	V	A	U	I	P	W	D	E	A
P	I	Y	P	E	H	I	D	D	E	K	E	L	Y	M
E	A	A	D	Z	P	J	A	A	U	R	E	R	P	C
C	P	O	N	O	Y	C	R	Y	Y	C	O	H	I	A
L	M	O	L	U	R	B	Z	G	T	L	I	B	Y	A
A	N	C	X	A	M	F	R	R	Z	S	H	Z	T	Z
H	Y	R	Z	U	Q	A	I	P	O	T	U	X	N	B
C	V	D	N	X	S	S	J	N	Y	E	O	S	U	Y

PUZZLE 21

W	S	R	D	R	I	B	B	L	E	L	V	P	A	G
X	B	E	Z	Z	Z	D	K	S	E	I	X	W	M	K
X	O	P	A	S	S	C	N	I	T	N	Y	G	O	W
E	L	M	O	S	O	E	H	Q	M	E	N	K	M	L
G	O	U	K	L	F	C	O	U	J	I	K	E	C	F
C	H	J	C	F	L	O	O	R	M	K	S	S	A	B
F	H	F	O	U	L	A	K	I	E	C	C	S	A	C
D	R	A	O	B	K	C	A	B	E	O	T	L	I	B
N	E	E	R	J	C	H	W	S	R	L	L	S	E	W
P	R	F	E	G	G	I	J	I	E	B	U	L	V	H
I	O	M	E	T	E	N	N	Q	F	L	Z	V	I	Q
K	A	O	E	N	H	G	D	U	E	G	U	A	R	D
G	Y	M	H	C	S	R	X	M	R	N	L	R	D	E
S	T	E	N	C	A	E	O	E	D	I	S	T	U	O
W	B	L	A	W	X	P	U	W	C	X	Z	O	Z	R

PUZZLE 22

K	F	D	C	V	K	N	W	A	L	I	N	E	Z	W
C	L	S	L	N	C	L	A	S	S	I	C	S	K	F
R	O	I	I	W	E	S	E	U	Q	I	P	P	L	N
E	J	T	S	L	O	Y	A	R	G	L	R	A	E	P
P	S	E	T	I	V	H	E	E	L	S	R	D	H	N
E	M	S	O	O	L	E	S	S	S	E	A	R	T	E
O	Y	I	D	S	N	H	R	N	D	W	Y	I	N	N
T	S	M	A	Q	L	E	O	S	O	X	O	L	E	I
U	A	E	K	M	S	A	K	U	S	I	N	L	C	L
N	D	H	L	U	O	I	D	N	E	R	H	E	K	B
I	U	C	O	O	R	D	I	N	A	T	E	S	L	L
C	S	R	P	T	G	U	E	M	A	F	T	E	A	C
L	T	J	A	O	Q	B	E	L	L	S	N	E	C	F
X	E	S	L	E	T	S	A	P	S	D	U	Y	E	T
K	R	D	S	R	H	L	Y	C	S	F	F	U	C	X

PUZZLE 23

U	F	B	Y	C	E	K	N	A	Z	R	A	T	C	Y
G	L	L	A	H	R	D	R	B	B	L	P	J	C	D
E	D	Y	L	C	I	T	U	O	L	E	S	U	C	N
B	I	B	O	G	A	R	T	E	M	S	R	H	R	I
I	U	C	F	P	T	L	N	E	E	R	E	T	F	M
L	D	R	O	O	S	P	L	V	I	R	G	T	U	U
L	E	E	N	S	A	U	I	E	R	R	O	N	A	E
U	L	R	D	S	T	A	R	S	K	Y	R	B	N	O
C	N	R	U	B	P	E	H	R	B	A	X	A	I	H
Y	Y	D	R	A	H	I	L	S	B	B	J	I	H	N
K	N	V	H	T	L	N	O	L	H	B	S	L	U	I
C	D	O	R	M	A	R	I	O	O	O	P	E	T	G
I	Z	A	T	A	C	E	W	D	N	T	P	Y	C	I
R	C	B	O	N	N	I	E	N	O	T	E	E	H	U
Y	R	O	L	Y	A	T	Y	E	I	Z	Z	O	E	L

PUZZLE 24

W	C	G	C	L	H	A	L	L	S	O	J	D	P	D
A	O	E	S	T	A	I	R	C	A	S	E	R	A	O
S	T	D	G	L	O	M	G	S	C	R	E	E	N	O
C	E	T	N	N	I	O	P	H	L	I	R	S	E	F
O	P	T	I	I	A	A	L	S	B	P	W	S	V	C
N	S	A	T	C	W	R	R	S	S	O	V	E	O	I
C	E	K	N	E	L	L	O	D	L	A	Y	R	D	T
E	H	C	I	S	E	F	E	L	N	R	I	O	Z	S
A	S	O	A	A	Y	B	I	D	O	A	O	O	E	A
E	I	L	P	R	M	P	I	C	H	R	H	F	M	L
S	D	C	T	I	R	R	K	C	S	L	E	N	A	P
M	S	N	R	O	O	E	R	I	O	M	R	A	R	Z
O	E	R	O	N	R	W	T	A	B	L	E	F	F	M
O	O	L	S	T	E	P	R	A	C	O	T	O	Y	J
R	F	L	E	H	S	I	N	K	B	Y	K	S	E	D

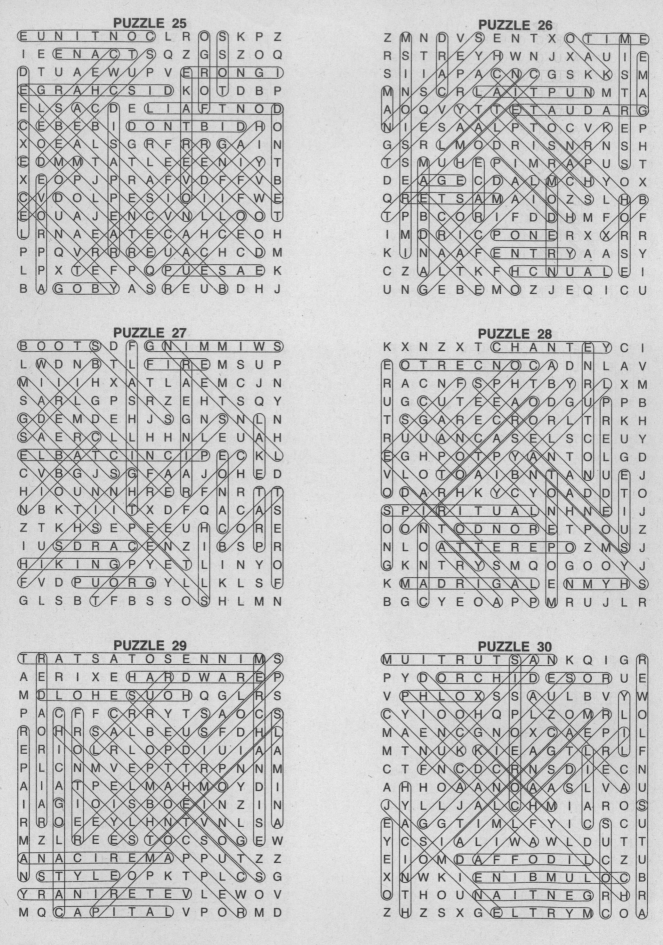

PUZZLE 25

E	U	N	I	T	N	O	C	L	R	O	S	K	P	Z
I	E	E	N	A	C	T	S	Q	Z	G	S	Z	O	Q
D	T	U	A	E	W	U	P	V	E	R	O	N	G	I
E	G	R	A	H	C	S	I	D	K	O	T	D	B	P
E	L	S	A	C	D	E	L	I	A	F	T	N	O	D
C	E	B	E	B	I	D	O	N	T	B	I	D	H	O
X	O	E	A	L	S	G	R	F	R	R	G	A	I	N
E	D	M	M	T	A	T	L	E	E	E	N	I	Y	T
X	E	O	P	J	P	R	A	F	V	D	F	F	V	B
C	V	D	O	L	P	E	S	I	O	I	I	F	W	E
E	O	U	A	J	E	N	C	V	N	L	L	O	O	T
L	R	N	A	E	A	T	E	C	A	H	C	E	O	H
P	P	Q	V	R	R	R	E	U	A	C	H	C	D	M
L	P	X	T	E	F	P	Q	P	U	E	S	A	E	K
B	A	G	O	B	Y	A	S	R	E	U	B	D	H	J

PUZZLE 26

Z	M	N	D	V	S	E	N	T	X	O	T	I	M	E
R	S	T	R	E	Y	H	W	N	J	X	A	U	I	E
S	I	I	A	P	A	C	N	C	G	S	K	K	S	M
M	N	S	C	R	L	A	I	T	P	U	N	M	T	A
A	O	Q	V	Y	T	T	E	T	A	U	D	A	R	G
N	I	E	S	A	A	L	P	T	O	C	V	K	E	P
G	S	R	L	M	O	D	R	I	S	N	R	N	S	H
T	S	M	U	H	E	P	I	M	R	A	P	U	S	T
D	E	A	G	E	C	D	A	L	M	C	H	Y	O	X
Q	R	E	T	S	A	M	A	I	O	Z	S	L	H	B
T	P	B	C	O	R	I	F	D	D	H	M	F	O	F
I	M	D	R	I	C	P	O	N	E	R	X	X	R	R
K	I	N	A	A	F	E	N	T	R	Y	A	A	S	Y
C	Z	A	L	T	K	F	H	C	N	U	A	L	E	I
U	N	G	E	B	E	M	O	Z	J	E	Q	I	C	U

PUZZLE 27

B	O	O	T	S	D	F	G	N	I	M	M	I	W	S
L	W	D	N	B	T	L	F	I	R	E	M	S	U	P
M	I	I	I	H	X	A	T	L	A	E	M	C	J	N
S	A	R	L	G	P	S	R	Z	E	H	T	S	Q	Y
G	D	E	M	D	E	H	J	S	G	N	S	N	L	N
S	A	E	R	C	L	L	H	H	N	L	E	U	A	H
E	L	B	A	T	C	I	N	C	I	P	E	C	K	L
C	V	B	G	J	S	G	F	A	A	J	O	H	E	D
H	I	O	U	N	N	H	R	E	R	F	N	R	T	T
N	B	K	T	I	I	T	X	D	F	Q	A	C	A	S
Z	T	K	H	S	E	P	E	E	U	H	C	O	R	E
I	U	S	D	R	A	C	E	N	Z	I	B	S	P	R
H	I	K	I	N	G	P	Y	E	T	L	I	N	Y	O
F	V	D	P	U	O	R	G	Y	L	L	K	L	S	F
G	L	S	B	T	F	B	S	S	O	S	H	L	M	N

PUZZLE 28

K	X	N	Z	X	T	C	H	A	N	T	E	Y	C	I
E	O	T	R	E	C	N	O	C	A	D	N	L	A	V
R	A	C	N	F	S	P	H	T	B	Y	R	L	X	M
U	G	C	U	T	E	E	A	O	D	G	U	P	P	B
T	S	G	A	R	E	C	R	O	R	L	T	R	K	H
R	U	U	A	N	C	A	S	E	L	S	C	E	U	Y
E	G	H	P	O	T	P	Y	A	N	T	O	L	G	D
V	L	O	T	O	A	I	B	N	T	A	N	U	E	J
O	D	A	R	H	K	Y	C	Y	O	A	D	D	T	O
S	P	I	R	I	T	U	A	L	N	H	N	E	I	J
O	O	N	T	O	D	N	O	R	E	T	P	O	U	Z
N	L	O	A	T	T	E	R	E	P	O	Z	M	S	J
G	K	N	T	R	Y	S	M	Q	O	G	O	O	Y	J
K	M	A	D	R	I	G	A	L	E	N	M	Y	H	S
B	G	C	Y	E	O	A	P	P	M	R	U	J	L	R

PUZZLE 29

T	R	A	T	S	A	T	O	S	E	N	N	I	M	S
A	E	R	I	X	E	H	A	R	D	W	A	R	E	P
M	D	L	O	H	E	S	U	O	H	Q	G	L	R	S
P	A	C	F	F	C	R	R	Y	T	S	A	O	C	S
R	O	H	R	S	A	L	B	E	U	S	F	D	H	L
E	R	I	O	L	R	L	O	P	D	I	U	I	A	A
P	L	C	N	M	V	E	P	T	T	R	P	N	N	M
A	I	A	T	P	E	L	M	A	H	M	O	Y	D	I
I	A	G	I	O	I	S	B	O	E	I	N	Z	I	N
R	R	O	E	E	Y	L	H	N	T	V	N	L	S	A
M	Z	L	R	E	E	S	T	O	C	S	O	G	E	W
A	N	A	C	I	R	E	M	A	P	P	U	T	Z	Z
N	S	T	Y	L	E	O	P	K	T	P	L	C	S	G
Y	R	A	N	I	R	E	T	E	V	L	E	W	O	V
M	Q	C	A	P	I	T	A	L	V	P	O	R	M	D

PUZZLE 30

M	U	I	T	R	U	T	S	A	N	K	Q	I	G	R
P	Y	D	O	R	C	H	I	D	E	S	O	R	U	E
V	P	H	L	O	X	S	S	A	U	L	B	V	Y	W
C	Y	I	O	O	H	Q	P	L	Z	O	M	R	L	O
M	A	E	N	C	G	N	O	X	C	A	E	P	I	L
M	T	N	U	K	K	I	E	A	G	T	L	R	L	F
C	T	F	N	C	D	C	R	N	S	D	I	E	C	N
A	H	H	O	A	A	N	O	A	A	S	L	V	A	U
J	Y	L	L	J	A	L	C	H	M	I	A	R	O	S
E	A	G	G	T	I	M	L	F	Y	I	C	S	C	U
Y	C	S	I	A	L	I	W	A	W	L	D	U	T	T
E	I	O	M	D	A	F	F	O	D	I	L	C	Z	U
X	N	W	K	I	E	N	I	B	M	U	L	O	C	B
O	T	H	O	U	N	A	I	T	N	E	G	R	H	R
Z	H	Z	S	X	G	E	L	T	R	Y	M	C	O	A

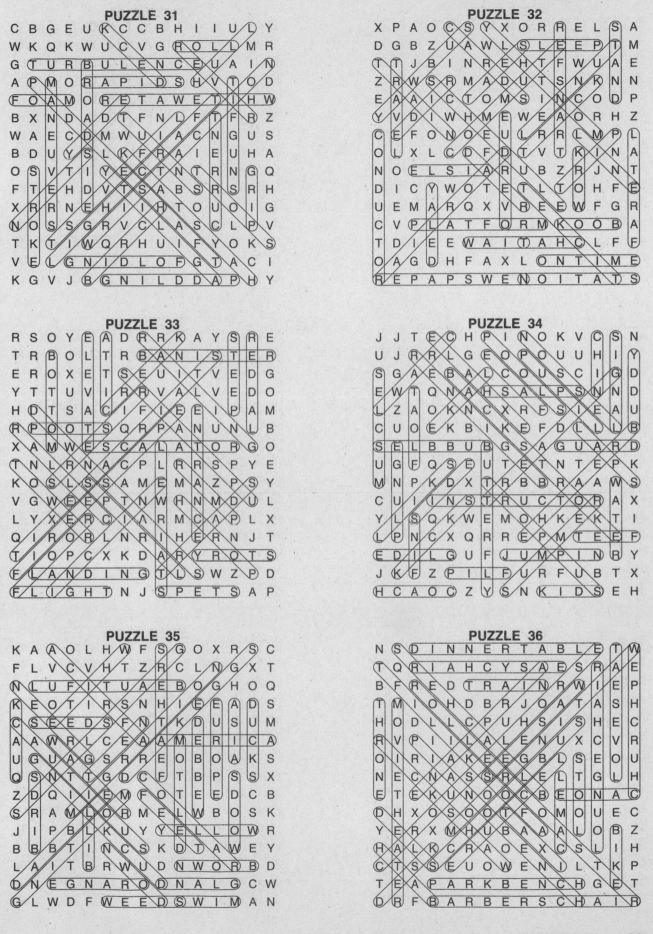

PUZZLE 31

C	B	G	E	U	K	C	C	B	H	I	I	U	L	Y
W	K	Q	K	W	U	C	V	G	R	O	L	L	M	R
G	T	U	R	B	U	L	E	N	C	E	U	A	I	N
A	P	M	O	R	A	P	I	D	S	H	V	T	O	D
F	O	A	M	O	R	E	T	A	W	E	T	I	H	W
B	X	N	D	A	D	T	F	N	L	F	T	F	R	Z
W	A	E	C	D	M	W	U	I	A	C	N	G	U	S
B	D	U	Y	S	L	K	F	R	A	I	E	U	H	A
O	S	V	T	I	Y	E	C	T	N	T	R	N	G	Q
F	T	E	H	D	V	T	S	A	B	S	R	S	R	H
X	R	R	N	E	H	I	I	H	T	O	U	O	I	G
N	O	S	S	G	R	V	C	L	A	S	C	L	P	V
T	K	T	I	W	Q	R	H	U	I	F	Y	O	K	S
V	E	L	G	N	I	D	L	O	F	G	T	A	C	I
K	G	V	J	B	G	N	I	L	D	D	A	P	H	Y

PUZZLE 32

X	P	A	O	C	S	Y	X	O	R	R	E	L	S	A
D	G	B	Z	U	A	W	L	S	L	E	E	P	T	M
T	T	J	B	I	N	R	E	H	T	F	W	U	A	E
Z	R	W	S	R	M	A	D	U	T	S	N	K	N	N
E	A	A	I	C	T	O	M	S	I	N	C	O	D	P
Y	V	D	I	W	H	M	E	W	E	A	O	R	H	Z
C	E	F	O	N	O	E	U	L	R	R	L	M	P	L
O	L	X	L	C	D	F	D	T	V	T	K	I	N	A
N	O	E	L	S	I	A	R	U	B	Z	R	J	N	T
D	I	C	Y	W	O	T	E	T	L	T	O	H	F	E
U	E	M	A	R	Q	X	V	R	E	E	W	F	G	R
C	V	P	L	A	T	F	O	R	M	K	O	O	B	A
T	D	I	E	E	W	A	I	T	A	H	C	L	F	F
O	A	G	D	H	F	A	X	L	O	N	T	I	M	E
R	E	P	A	P	S	W	E	N	O	I	T	A	T	S

PUZZLE 33

R	S	O	Y	E	A	D	R	R	K	A	Y	S	R	E
T	R	B	O	L	T	R	B	A	N	I	S	T	E	R
E	R	O	X	E	T	S	E	U	I	T	V	E	D	G
Y	T	T	U	V	I	R	R	V	A	L	V	E	D	O
H	D	T	S	A	C	I	F	I	E	E	I	P	A	M
R	P	O	O	T	S	Q	R	P	A	N	U	N	L	B
X	A	M	W	E	S	C	A	L	A	T	O	R	G	O
T	N	L	R	N	A	C	P	L	R	R	S	P	Y	E
K	O	S	L	S	S	A	M	E	M	A	Z	P	S	Y
V	G	W	E	E	P	T	N	W	H	N	M	D	U	L
L	Y	X	E	R	C	I	A	R	M	C	A	P	L	X
Q	I	R	O	R	L	N	R	I	H	E	R	N	J	T
T	I	O	P	C	X	K	D	A	R	Y	R	O	T	S
F	L	A	N	D	I	N	G	T	L	S	W	Z	P	D
F	L	I	G	H	T	N	J	S	P	E	T	S	A	P

PUZZLE 34

J	J	T	E	C	H	P	I	N	O	K	V	C	S	N
U	J	R	R	L	G	E	O	P	O	U	U	H	I	Y
S	G	A	E	B	A	L	C	O	U	S	C	I	G	D
E	W	T	Q	N	A	H	S	A	L	P	S	N	N	D
L	Z	A	O	K	N	C	X	R	F	S	I	E	A	U
C	U	O	E	K	B	I	K	E	F	D	L	L	L	B
S	E	L	B	B	U	B	G	S	A	G	U	A	R	D
U	G	F	Q	S	E	U	T	E	T	N	T	E	P	K
M	N	P	K	D	X	T	R	B	B	R	A	A	W	S
C	U	I	I	N	S	T	R	U	C	T	O	R	A	X
Y	L	S	Q	K	W	E	M	O	H	K	E	K	T	I
L	P	N	C	X	Q	R	R	E	P	M	T	E	E	F
E	D	I	L	G	U	F	J	U	M	P	I	N	R	Y
J	K	F	Z	P	I	L	F	U	R	F	U	B	T	X
H	C	A	O	C	Z	Y	S	N	K	I	D	S	E	H

PUZZLE 35

K	A	A	O	L	H	W	F	S	G	O	X	R	S	C
F	L	V	C	V	H	T	Z	R	C	L	N	G	X	T
N	L	U	F	I	T	U	A	E	B	O	G	H	O	Q
K	E	O	T	I	R	S	N	H	I	E	E	A	D	S
C	S	E	E	D	S	F	N	T	K	D	U	S	U	M
A	A	W	R	L	C	E	A	A	M	E	R	I	C	A
U	G	U	A	G	S	R	R	E	O	B	O	A	K	S
Q	S	N	T	T	G	D	C	F	T	B	P	S	S	X
Z	D	Q	I	I	E	M	F	O	T	E	E	D	C	B
S	R	A	M	L	O	R	M	E	L	W	B	O	S	K
J	I	P	B	L	K	U	Y	Y	E	L	L	O	W	R
B	B	B	T	I	N	C	S	K	D	T	A	W	E	Y
L	A	I	T	B	R	W	U	D	N	W	O	R	B	D
D	N	E	G	N	A	R	O	D	N	A	L	G	C	W
G	L	W	D	F	W	E	E	D	S	W	I	M	A	N

PUZZLE 36

N	S	D	I	N	N	E	R	T	A	B	L	E	T	W
T	Q	R	I	A	H	C	Y	S	A	E	S	R	A	E
B	F	R	E	D	T	R	A	I	N	R	W	I	E	P
T	M	I	O	H	D	B	R	J	O	A	T	A	S	H
H	O	D	L	L	C	P	U	H	S	I	S	H	E	C
R	V	P	I	I	L	A	L	E	N	U	X	C	V	R
O	I	R	I	A	K	E	E	G	B	L	S	E	O	U
N	E	C	N	A	S	S	R	L	E	L	T	G	L	H
E	T	E	K	U	N	O	O	C	B	E	O	N	A	C
D	H	X	O	S	O	O	T	F	O	M	O	U	E	C
Y	E	R	X	M	H	U	B	A	A	A	L	O	B	Z
H	A	L	K	C	R	A	O	E	X	C	S	L	I	H
C	T	S	S	E	U	O	W	E	N	I	L	T	K	P
T	E	A	P	A	R	K	B	E	N	C	H	G	E	T
D	R	F	B	A	R	B	E	R	S	C	H	A	I	R

PUZZLE 37

```
B E D I B R A C H S U R C L J
I P T F O S Q G U Q E T W E H
T L X I Q L R L E Z N T R N T
E I O Z C O F Z L E E B E N E
V N P A U A I R M A L D X A N
O D E N D R R G O A Y Y P C I
T S D R E U I H C Y T E O R M
S L U V G P S K T S E S R E X
Y G L A L Y O T P N C V T O E
S U O N I M U T I B A H N S N
P Y O L G N O X I D A T I O N
K R B N N S O O T N H G L T C
I P A V I N G M E P V Y U E U
F T Z J T Z B M M X N Q R J Q
T O L U E N E Q R A H C E M N
```

PUZZLE 38

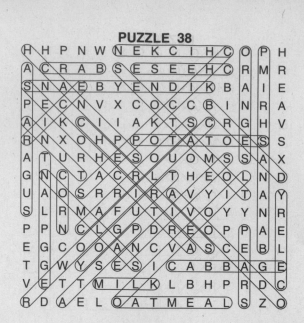

```
H H P N W N E K C I H C O P H
A C R A B S E S E E H C R M R
S N A E B Y E N D I K B A I E
P E C N V X C O C C B I N R A
A I K C I I A K T S C R G H V
R N X O H P P O T A T O E S S
A T U R H E S O U O M S S A X
G N C T A C R L T H E O L N D
U A O S R R I R A V Y I T A Y
S L R M A F U T I V O Y Y N R
P P N C L G P D R E O P P A E
E G C O O A N C V A S C E B L
T G W Y S E S I C A B B A G E
V E T T M I L K L B H P R D C
R D A E L O A T M E A L S Z O
```

PUZZLE 39

```
A L E X A N D E R Y N I L E E
Y G S J S I L L A W N R O C S
R D A O I Q A T H E N S A N R
Y A E N O E L O P A N L C A A
U L W N D P C T W K L L T S T
V I V A N H H S W A E R C S A
V T I K S E I I W O A H R I T
V T K I I H K R P C U L U A N
I A I O I R I A A R U I S N O
O W N M N E T N C H C N A E S
O I G D C R G H G O W C D R L
A R S E A A I R Q T J O E G E
V B E N M L U K O D O L S C N
U R N N L Q S G U E Y N I L P
G S U B M U L O C K G N F C Y
```

PUZZLE 40

```
C L A V I T S E F H Q Q E C Q
M A O G V F R U O T K E I A N
T P R E N C Q M U F R R R O M
S A L N U I E W E O C A I O D
P R E G I C P R B U I N V F D
B A Z R O V E M S J U I H E M
A D R M T I A B A E E H I A L
L E I T M J X L R C K T H S J
L N V E Y L P L H A A F A T C
G Q R Y A D H T R I B T Y D W
A P W E D D I N G B M T R I P
M C S A I O F V A C A T I O N
E B N H L X A Q G T L Z D C U
M C B M O P I C N I C F E U T
E U G X H W R R L N U I V O F
```

PUZZLE 41

```
D L L G V G W D L E I P G A M
R O N L N O R E H I E S O O G
I O P I U I W O L L A W S W S
B N I V B G L N U J G U E D T
G I G D R O U R C S L H Q P O
N T E C N T R D A T E C B S R
I R O B H Y R E R T H I P E K
M A N A R I R M D A S R W Z Z
M M T A B N C M I C E T U G C
U C N E E O A K N Y R S E S P
H A U V N C S P A R R O W R H
C L A D A L H I L D R S W A N
B R O W L A T U R K E Y Q U E
K R A L W F T N A S A E H P R
L J V K V R A A B J X W D Y W
```

PUZZLE 42

```
R E T S O O R R Q L A R Y C E
L W O R G C E O L U E G M L B
G N H W B P N E T F N D Q U A
Z V O I S S B K R I T H O R N
M W I I S F E I P R U T Q Y J
Y R H S S T G O J E S Q R O O
S W A D T E L I Q P T O S Y U
O P C L R L M E W L E I T O K
N V E A A U H A W A K D A V M
G K T G I R M U K C C A T O W
O O A P P L A U S E I R I K M
R N M O R C H E S T R A C O N
F P I H W H C O W Q C O T J G
V B N A U K D Y E L L O C U N
Q G U K R N F C Y C R P A W P
```

PUZZLE 43

```
Z U R Y K O N G O K U M Y K S
A U K A R A N K A W A E A I C
H G A F T K L I O N B S N R L
I U N K A A R M K R H E I A V
S H A Y O I T K U U W N W N N
A H R F M H H N B C K A I T T
H O E H L O I I A O K T R I X
K Q S Y W H A S M Z S O I U F
U A E A C N Q I T U A H K K Z
K H R A H T A I R A H K U R I
O A K E L Y B A K M N T S E T
I L F U L O O P A K C I K M M
A W S I R I Y H K H A L K H A
R T Y Z R U A K I C C Y B K H
I O P Z V I K N U G A D O K K
```

PUZZLE 44

```
R E N R A W P O P X O W H F G
J S C I P M Y L O E O G J N N
I T D T N S L A D E M D L O G
O W H D B A S K E T B A L L D
E A A X B T C I G U J H A H K
P S L T O E P I L Y T C B T B
H C O M H F M L R A I A E A R
R O N D S O D A T E V O S C I
F K G W V O H N F I M C A E G
I L J P G H E U A F V A B D H
E A U S V P N T K C O N L I T
L H M W E S S O R C A L H L P
D O P C A R D I N A L S L W A
P M U J H G I H R W C D X A T
D A D T W C C O V F S K A Q H
```

PUZZLE 45

```
O H S A G A O E M O R I D M D
T A A S G B R A N D O N H O J
A M I N E P D I T L N U N S Q
C L O V A L E E E S A P A O O
P E S T I I C M S L E L I O N
M T U O H L R I I D L R L K I
A I L E H P O D R L E L E U S
L A Y P O C M O A E I M C C U
O G S A I A W H E M P A O L I
N O S C L S E B A S T I A N V
S I E U I R L C L A C E C A A
O R S R O D L A N I R A I N L
O R A S E A C A O T I R L G F
U S Q F A L I C E N A C N U D
H N F A J D U S C M V X O S S
```

PUZZLE 46

```
G N I R T S H S I N I F O I H
N M F N G C M M R N O V K O P
I O T I J N J R N R E T T A P
K V I B T A I L O R I N G P E
C E D B B F K T C F E O I U Z
O R L O X I B A S D S L M L Y
M L T B W T S E I A Y S A R R
S A D W M T V W B C B Y E O I
T Y P E R I B S U G U D S R R
E T N P S N H T B G I E H L D
S P P J L G T T Z O T T C I Z
S H I R R I N G R T O K N I P
U P C N N A Q B E L G M E P B
G I O G S X M U C W U Q R Q W
F H T M A E S D E L L E F F Q
```

PUZZLE 47

```
E S L S P A F K H I T W T V P
P S J R N K C H S I D I C W D
I A E G O O B M A B P N D N F
H B L R K O O B L U G D P E R
N E T S U H F P P O D O T N H
R T S S I L B U S Y L I Y N A
N A E C O N B R C E B K T B L
E S J A C K E T A O V Q J O L
B T T T A D D C T R O A P B O
P O A D A G N L C S O L W B R
C O P W N G T Y H F I C E E A
B B R A B O U I H M R P K R E
P X U Y M R P L I S S N U S G
F R U S G U B T L F I R E N C
B D N K L E R O H S J F A N J
```

PUZZLE 48

```
K C O L T S I R W W T S J M M
C S H T T E E A P Z S H E X N
A T P S H T N I A R C K V E S
B N S L T R T P J T P N R U T
L U A A I C O K I P R I U W A
L B B N H T R W U N E R C D N
U A L F I R S T B A S E W R C
F L O G S L T B R S S C R I E
G I S K Z I E O O D I I K V T
N E C P N P D V Q L B N I E N
I I T G A S T E A L S D N R K
K S K S P R I N T J G M G E C
I O S S W J E Z T E K C A R T
P E W H O O K S L P B Q R E D
S E K O R T S K A T E I D M T
```

PUZZLE 49

A	T	R	G	N	I	S	O	L	C	G	P	Y	M	N
Y	M	N	E	T	A	I	T	O	G	E	N	T	O	O
T	Y	O	E	K	R	J	L	V	E	Z	M	I	R	I
I	C	X	R	G	O	L	S	K	U	T	T	U	T	T
D	I	O	A	T	A	R	P	P	S	A	N	Q	G	C
I	Y	K	O	T	I	U	B	E	I	F	E	E	A	U
U	P	N	E	P	E	Z	R	C	I	X	M	T	G	R
Q	G	R	B	S	E	E	E	N	Z	U	T	H	E	T
I	A	A	I	S	T	R	A	H	O	U	S	E	P	S
L	N	E	A	N	P	N	A	U	Y	M	E	N	R	N
K	B	E	I	E	C	C	I	T	I	P	V	O	O	O
C	L	F	D	I	R	I	Y	O	I	L	N	Z	F	C
L	L	T	N	E	R	E	P	A	P	V	I	T	I	O
C	T	G	D	O	W	N	P	A	Y	M	E	N	T	I
S	T	I	D	E	R	C	T	O	L	W	J	R	S	G

PUZZLE 50

N	D	R	A	H	C	A	S	S	B	K	G	R	S	S
B	M	J	M	C	O	R	M	I	E	R	L	T	M	M
W	A	F	L	F	K	B	O	N	L	A	O	O	A	A
X	R	G	V	B	G	I	N	E	J	M	B	L	D	I
O	T	Y	N	T	T	E	N	R	U	B	E	K	A	L
K	I	A	K	O	D	G	L	G	E	N	L	I	M	L
O	N	P	E	Y	L	O	Y	N	S	P	S	E	K	I
N	M	R	A	E	F	D	Z	K	V	L	P	N	K	W
I	O	K	O	T	Z	W	I	N	K	L	E	Q	H	Z
G	Z	T	I	W	E	B	Z	H	N	R	R	Y	B	W
S	P	N	Y	M	L	R	T	C	G	I	R	X	F	Q
B	G	L	M	L	B	I	S	D	H	G	A	N	I	M
U	X	I	R	M	B	G	N	O	D	V	U	W	Z	B
R	R	B	A	R	R	I	E	G	N	Z	L	Y	T	A
G	R	U	B	S	L	L	A	N	A	V	T	F	X	Y

PUZZLE 51

M	E	K	K	D	M	Q	B	B	R	S	K	B	Y	T
V	Y	L	I	B	F	D	P	R	Y	D	E	R	I	W
C	F	N	P	V	D	F	F	L	A	M	L	C	J	L
E	E	Y	O	H	S	Y	O	M	F	O	L	S	P	Y
C	P	R	B	G	I	L	I	D	D	N	Y	K	G	L
F	E	U	H	C	A	N	R	W	O	L	D	P	T	L
R	R	H	I	A	N	N	O	N	E	R	D	S	T	E
Y	E	T	C	J	G	D	O	V	N	N	O	A	K	G
H	D	R	V	W	Y	M	E	Y	E	Y	N	D	E	N
M	U	A	A	A	H	L	E	G	D	G	W	R	L	E
E	R	D	R	E	L	L	W	I	W	Y	E	G	E	W
R	D	L	Z	V	T	A	U	E	L	I	W	X	M	D
I	Y	S	B	E	R	I	N	C	N	Y	C	G	O	A
N	N	A	G	V	A	H	J	T	X	M	G	J	N	R
Q	E	Q	E	N	O	Y	R	W	G	K	H	Z	D	B

PUZZLE 52

R	E	D	L	U	O	H	S	G	A	L	F	U	R	W
R	R	X	E	B	B	E	Y	R	S	Y	A	H	Y	A
P	A	S	S	K	C	U	R	T	O	N	U	N	B	D
C	F	D	T	A	P	O	E	S	G	A	G	J	E	J
O	H	H	F	N	A	T	E	K	G	R	D	I	D	S
N	G	R	A	D	E	N	N	L	N	L	A	B	S	U
E	U	U	W	R	I	M	E	V	I	R	E	V	E	F
S	O	O	C	L	D	T	E	G	N	E	T	G	E	D
H	R	N	W	I	O	T	H	V	R	K	U	O	L	L
K	O	E	R	L	L	T	O	I	A	I	O	P	C	K
C	H	T	L	A	S	V	N	P	W	P	R	E	I	C
S	T	S	H	L	H	A	U	L	I	N	G	N	H	A
D	P	P	W	R	O	X	O	B	A	R	R	I	E	R
C	S	A	K	V	Y	R	S	P	M	U	B	N	V	T
A	N	E	M	U	T	I	B	V	F	T	V	G	S	F

PUZZLE 53

N	Y	H	O	U	R	S	O	U	I	P	Y	Z	S	Q
O	A	K	Q	R	E	F	N	N	T	R	S	X	N	W
E	F	T	P	S	F	Z	O	I	C	Y	P	K	O	I
L	L	O	I	I	J	I	X	O	E	S	E	V	I	Y
J	H	A	C	O	S	C	O	N	T	R	A	C	T	E
S	R	E	C	N	N	F	D	R	O	S	K	N	A	S
Y	R	F	E	O	A	A	E	S	R	S	E	G	I	E
S	R	P	Y	Z	L	M	L	M	P	M	R	T	T	W
R	P	T	S	T	I	F	E	N	E	B	C	E	O	N
C	L	O	S	E	D	N	G	G	M	E	B	K	G	H
L	O	Y	J	U	W	T	A	L	K	S	T	C	E	T
A	I	F	Z	A	D	N	T	G	H	T	R	I	N	T
W	Y	C	G	T	A	N	E	X	R	A	D	P	N	S
S	R	E	B	M	E	M	I	O	F	O	L	B	J	G
H	S	L	V	Z	R	T	S	T	Z	A	T	L	R	T

PUZZLE 54

R	H	K	Q	G	X	S	C	C	V	H	G	P	E	R
R	T	T	C	U	L	G	H	A	G	V	E	F	T	O
G	N	I	R	A	E	A	L	E	F	O	I	R	Q	O
F	N	B	M	A	P	L	D	O	L	N	P	I	B	T
S	I	I	R	B	E	K	R	E	K	T	M	V	M	S
S	N	R	H	Y	E	E	C	Y	B	H	E	E	D	T
A	B	L	S	S	S	R	M	A	K	E	E	R	C	Z
P	J	X	U	T	I	R	W	K	B	Z	I	B	N	C
M	F	I	R	J	A	F	I	V	M	B	J	W	A	O
O	R	M	B	S	T	I	L	K	X	T	O	M	V	T
C	M	L	S	R	O	O	D	T	U	O	P	X	A	N
I	H	I	K	E	R	S	L	K	D	F	H	Z	N	A
S	W	A	P	S	N	O	I	S	I	V	O	R	P	E
S	T	R	A	P	S	U	F	R	D	T	A	R	P	L
Z	X	T	P	U	P	T	E	N	T	W	C	X	C	R

PUZZLE 55

J	O	L	L	Y	Y	A	D	M	I	R	A	B	L	E
E	R	L	L	O	U	T	S	T	A	N	D	I	N	G
F	E	U	E	A	S	U	O	L	U	B	A	F	G	W
W	Q	F	Y	F	I	U	U	O	D	J	Y	N	W	S
C	R	I	R	O	A	C	O	Z	K	K	I	O	H	P
A	O	T	O	R	A	N	I	I	C	M	N	J	E	E
P	I	U	T	T	J	V	T	F	R	D	C	C	R	C
A	R	A	C	U	O	Y	Z	A	E	O	I	O	H	I
W	E	E	A	N	V	K	H	R	S	N	L	E	O	A
E	P	B	F	A	I	C	F	D	G	T	E	G	B	L
S	U	Y	S	T	A	U	S	R	O	R	I	B	F	V
O	S	P	I	E	L	L	E	O	F	O	A	C	L	S
M	P	P	T	O	W	A	O	U	P	U	G	N	A	B
E	D	A	A	B	T	G	L	T	N	E	C	E	D	W
D	E	H	S	I	U	G	N	I	T	S	I	D	S	U

PUZZLE 56

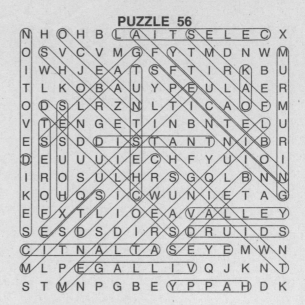

N	H	O	H	B	L	A	I	T	S	E	L	E	C	X
O	S	V	C	V	M	G	F	Y	T	M	D	N	W	M
I	W	H	J	E	A	T	S	F	T	I	R	K	B	U
T	L	K	O	B	A	U	Y	P	E	U	L	A	E	R
O	D	S	L	R	Z	N	L	T	I	C	A	O	F	M
V	T	E	N	G	E	T	I	N	B	N	T	E	L	U
E	S	S	D	D	I	S	T	A	N	T	N	I	B	R
D	E	U	U	U	I	E	C	H	F	Y	U	I	O	I
I	R	O	S	U	L	H	R	S	G	Q	L	B	N	N
K	O	H	Q	S	I	C	W	U	N	I	E	T	A	G
E	F	X	T	L	I	O	E	A	V	A	L	L	E	Y
S	E	S	D	S	D	I	R	S	D	R	U	I	D	S
C	I	T	N	A	L	T	A	S	E	Y	E	M	W	N
M	L	P	E	G	A	L	L	I	V	Q	J	K	N	T
S	T	M	N	P	G	B	E	Y	P	P	A	H	D	K

PUZZLE 57

A	S	U	O	L	A	E	J	U	D	G	E	N	S	R
I	B	H	I	G	H	P	R	I	E	S	T	P	E	I
S	U	E	S	N	O	S	R	U	O	F	E	H	Q	M
R	B	S	H	H	E	L	P	E	R	A	T	A	A	O
A	B	L	E	S	S	E	D	V	K	O	R	R	Z	U
E	I	J	C	S	I	H	O	E	R	S	M	A	W	N
L	M	U	N	B	O	L	R	B	N	A	H	O	T	T
E	A	I	A	N	X	M	E	I	R	C	V	H	A	A
V	I	P	R	O	M	I	S	E	D	L	A	N	D	I
I	R	R	E	A	E	T	H	E	F	M	O	L	I	N
T	I	O	V	T	C	T	S	A	U	I	G	B	F	E
E	M	P	I	R	A	L	M	I	N	G	W	W	J	S
L	K	H	L	F	F	I	E	T	N	H	A	B	V	O
P	J	E	E	H	L	V	E	S	M	A	C	L	H	H
L	Z	T	D	Y	W	D	N	P	H	X	I	S	P	C

PUZZLE 58

Y	R	T	N	U	O	C	T	I	J	R	K	L	C	N
Q	L	A	K	E	O	P	S	H	V	A	V	O	O	D
H	I	L	L	U	V	R	E	V	I	R	L	R	E	N
H	Z	B	P	H	Q	I	W	C	S	I	I	T	C	J
I	A	L	T	S	R	A	H	K	N	A	R	Y	E	I
T	E	R	T	E	T	H	I	E	A	A	D	A	I	S
T	O	A	D	E	F	C	S	U	C	L	L	D	P	S
N	T	N	R	D	A	F	K	K	N	C	O	G	L	U
E	I	H	H	T	R	A	E	H	C	D	Y	N	T	E
W	D	A	G	U	B	D	R	C	O	O	E	O	G	K
R	E	T	T	I	L	P	S	B	T	C	D	R	I	O
W	P	B	Y	N	L	B	U	R	N	S	E	W	C	R
R	I	G	H	T	U	P	X	O	R	K	A	A	K	T
L	W	E	O	D	V	O	P	A	E	H	C	E	N	S
L	S	H	T	U	O	S	M	D	S	F	J	W	P	E

PUZZLE 59

S	D	R	V	L	O	O	Z	F	V	N	J	D	E	C
W	P	O	W	E	R	Y	N	G	G	U	A	D	J	Y
A	L	U	M	R	O	F	T	O	R	Z	F	M	L	A
L	W	T	W	Q	O	R	D	I	N	A	N	C	E	W
P	E	I	X	N	S	C	S	N	R	A	Z	T	P	S
N	R	N	S	O	O	D	O	L	Y	O	C	P	S	V
G	U	E	R	E	I	I	O	N	B	E	H	J	O	I
I	D	D	C	C	R	C	T	A	T	T	B	T	G	P
E	E	O	T	E	O	E	C	C	U	R	S	O	U	R
R	C	I	T	T	D	O	M	U	A	I	O	O	Q	A
X	O	I	O	I	N	E	M	I	G	E	R	L	R	C
N	R	R	U	D	B	J	N	C	F	D	R	S	M	T
C	P	G	U	M	R	O	F	T	A	L	P	U	S	I
M	A	C	T	S	E	T	W	K	I	Y	Z	U	L	C
Q	T	I	M	I	L	B	E	G	D	U	J	S	A	E

PUZZLE 60

L	D	F	M	D	E	R	O	T	S	E	R	Y	V	J
A	A	K	S	E	L	Y	T	S	D	D	A	K	C	C
I	O	V	O	S	R	G	D	A	L	C	D	C	R	C
N	L	K	L	B	I	E	M	O	O	E	X	O	L	Q
O	N	S	I	C	N	D	H	V	S	Z	G	T	D	K
L	O	V	D	G	N	C	E	T	R	M	K	S	W	N
O	I	B	L	A	N	R	V	P	A	E	R	T	I	G
C	H	I	H	E	I	S	I	B	I	E	L	A	L	F
S	S	J	R	N	A	R	T	O	E	E	L	I	W	Z
H	U	F	G	R	A	W	A	R	R	P	C	N	C	W
X	C	S	C	T	N	Y	R	Z	O	N	F	E	E	T
R	P	H	C	O	M	F	O	R	T	P	A	D	S	G
H	E	A	D	P	I	E	C	E	O	A	P	T	N	P
D	L	S	S	T	I	L	E	S	V	B	D	U	E	K
L	A	N	O	I	T	I	D	A	R	T	A	E	S	G

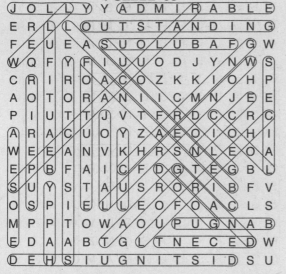

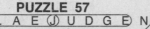

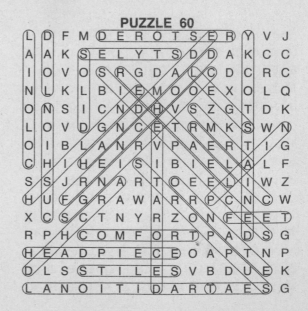

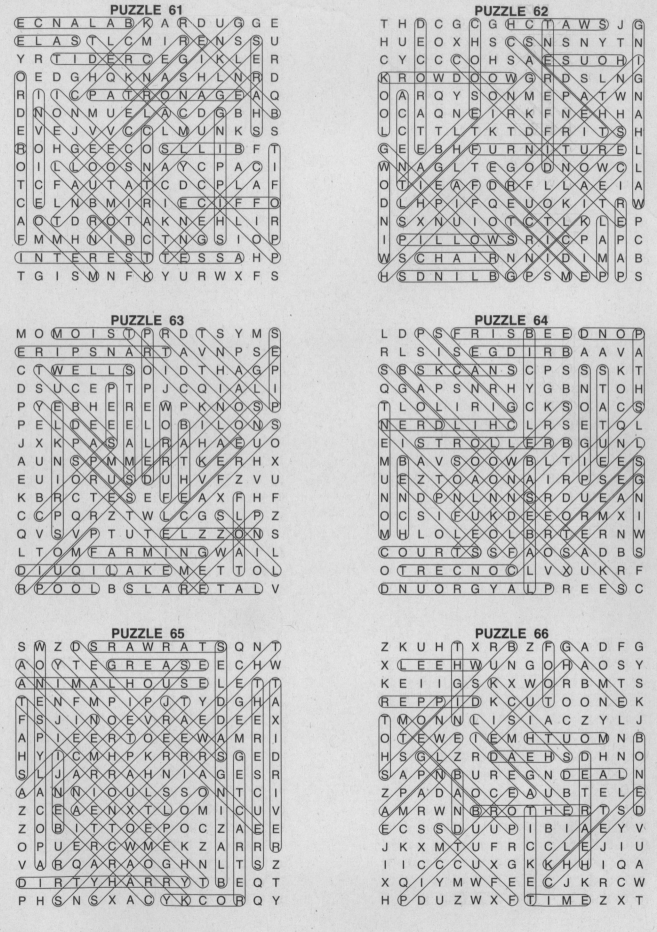

PUZZLE 61

```
E C N A L A B K A R D U G G E
E L A S T L C M I R E N S S U
Y R T I D E R C E G I K L E R
O E D G H Q K N A S H L N R D
R I I C P A T R O N A G E A Q
D N O N M U E L A C D G B H B
E V E J V V C C L M U N K S S
R O H G E E C O S L L I B F T
O I L L O O S N A Y C P A C I
T C F A U T A T C D C P L A F
C E L N B M I R I E C I F F O
A O T D R O T A K N E H L I R
F M M H N I R C T N G S I O P
I N T E R E S T T E S S A H P
T G I S M N F K Y U R W X F S
```

PUZZLE 62

```
T H D C G C G H C T A W S J G
H U E O X H S C S N S N Y T N
C Y C C C O H S A E S U O H I
K R O W D O O W G R D S L N G
O A R Q Y S O N M E P A T W N
O C A Q N E I R K F N E H H A
L C T T L T K T D F R I T S H
G E E B H F U R N I T U R E L
W N A G L T E G O D N O W C L
O T I E A F D R F L L A E I A
D L H P I F Q E U O K I T R W
N S X N U I O T C T L K L E P
I P I L L O W S R I C P A P C
W S C H A I R N N I D I M A B
H S D N I L B G P S M E P P S
```

PUZZLE 63

```
M O M O I S T P R D T S Y M S
E R I P S N A R T A V N P S E
C T W E L L S O I D T H A G P
D S U C E P T P J C Q I A L I
P Y E B H E R E W P K N O S P
P E L D E E E L O B I L O N S
J X K P A S A L R A H A E U O
A U N S P M M E R T K E R H X
E U I O R U S D U H V F Z V U
K B R C T E S E F E A X F H F
C C P Q R Z T W L C G S L P Z
Q V S V P T U T E L Z Z O N S
L T O M F A R M I N G W A I L
D I U Q I L A K E M E T T O L
R P O O L B S L A R E T A L V
```

PUZZLE 64

```
L D P S F R I S B E E D N O P
R L S I S E G D I R B A A V A
S B S K C A N S C P S S S K T
Q G A P S N R H Y G B N T O H
T L O L I R I G C K S O A C S
N E R D L I H C L R S E T Q L
E I S T R O L L E R B G U N L
M B A V S O O W B L T I E E S
U E Z T O A O N A I R P S E G
N N D P N L N N S R D U E A N
O C S I F U K D E E O R M X I
M H L O L E O L B R T E R N W
C O U R T S S F A O S A D B S
O T R E C N O C L V X U K R F
D N U O R G Y A L P R E E S C
```

PUZZLE 65

```
S W Z D S R A W R A T S Q N T
A O Y T E G R E A S E E C H W
A N I M A L H O U S E L E T T
T E N F M P I P J T Y D G H A
F S J I N O E V R A E D E E X
A P I E E R T O E E W A M R I
H Y I C M H P K R R R S G E D
S L J A R R A H N I A G E S R
A A N N I O U L S S O N T C I
Z C E A E N X T L O M I C U V
Z O B I T T O E P O C Z A E E
O P U E R C W M E K Z A R R R
V A R Q A R A O G H N L T S Z
D I R T Y H A R R Y T B E Q T
P H S N S X A C Y K C O R Q Y
```

PUZZLE 66

```
Z K U H T X R B Z F G A D F G
X L E E H W U N G O H A O S Y
K E I I G S K X W O R B M T S
R E P P I D K C U T O O N E K
T M O N N L I S I A C Z Y L J
O T E W E I E M H T U O M N B
H S G L Z R D A E H S D H N O
S A P N B U R E G N D E A L N
Z P A D A O C E A U B T E L E
A M R W N B R O T H E R T S D
E C S S D U U P I B I A E Y V
J K X M T U F R C C L E J I U
I I C C C U X G K K H H I Q A
X Q I Y M W F E E C J K R C W
H P D U Z W X F T I M E Z X T
```

PUZZLE 67

W	N	S	G	S	B	C	T	E	V	S	E	R	C	N
B	M	A	I	R	O	H	C	E	Y	C	E	Y	I	I
L	Y	T	C	A	D	N	T	N	L	Y	V	D	N	A
G	S	O	E	X	A	S	N	O	G	P	H	O	O	U
G	S	P	C	N	E	A	G	E	U	P	U	S	I	Q
E	I	M	O	P	Z	U	L	H	T	Y	Y	O	J	N
C	N	S	A	N	E	E	H	C	O	R	T	R	C	I
N	S	N	A	D	D	N	X	I	P	H	V	P	L	C
A	A	T	B	X	R	E	O	I	T	Y	C	I	E	A
N	S	L	U	D	W	I	E	I	G	M	M	Q	H	N
O	Z	O	X	X	K	B	G	J	S	E	U	B	P	Z
S	Y	L	L	A	B	L	E	A	R	N	S	D	O	O
N	O	I	T	A	R	E	T	I	L	L	A	T	R	N
O	D	R	V	W	I	L	C	I	R	Y	L	C	T	E
C	V	J	T	Q	F	K	P	S	S	E	R	T	S	Y

PUZZLE 68

A	T	H	L	E	T	E	I	D	D	A	C	G	H	W
M	N	T	I	U	C	R	I	C	Q	O	A	A	H	H
S	G	D	E	A	G	L	E	G	X	R	Z	L	C	Z
C	B	N	R	Q	Z	O	A	K	H	A	M	F	T	T
O	P	U	T	T	E	R	M	F	R	T	G	N	I	H
R	A	O	L	K	I	Y	A	D	S	A	E	R	P	H
E	W	R	O	C	D	I	T	E	S	M	M	E	I	I
W	E	R	O	F	R	B	E	L	A	S	S	V	N	P
G	T	X	M	W	I	T	U	N	A	R	E	I	A	T
S	R	D	A	R	B	T	R	N	U	N	D	R	Z	T
T	A	Y	O	W	O	U	L	O	K	G	E	D	P	I
A	C	N	E	G	O	U	C	A	Q	E	I	P	L	Q
N	S	D	D	T	L	M	G	K	K	V	R	Q	U	Y
C	G	R	A	S	S	E	C	H	O	E	C	I	L	S
E	M	R	E	F	L	O	G	T	W	G	U	V	P	V

PUZZLE 69

O	S	R	B	C	S	P	F	S	X	X	M	J	H	N
F	T	K	H	O	S	D	R	I	L	L	I	N	G	Q
F	G	M	S	R	A	E	V	I	S	N	E	P	X	E
S	N	N	B	I	E	T	N	T	B	L	W	U	C	A
H	U	O	I	N	R	O	S	I	A	E	R	K	R	Z
O	D	P	I	G	R	I	I	P	L	E	E	C	E	F
R	N	G	P	T	G	K	M	L	D	E	T	A	W	M
E	N	I	H	O	C	O	S	A	O	I	P	J	D	U
E	R	S	L	I	R	U	L	T	C	G	O	I	S	D
G	E	O	R	N	L	T	D	F	K	H	C	G	P	T
A	E	R	S	C	A	F	F	O	L	D	I	N	G	A
G	E	G	R	A	B	E	R	R	R	R	L	N	P	N
D	I	S	M	R	O	T	S	M	A	P	E	K	E	K
S	R	O	Y	E	V	R	U	S	P	M	H	G	F	S
N	G	T	V	Q	G	M	O	B	I	L	E	G	S	U

PUZZLE 70

Q	S	E	Y	T	V	C	W	N	I	L	S	U	M	H
A	T	E	F	F	A	T	N	S	Y	E	Q	B	F	B
M	C	V	Y	T	Z	P	O	Y	N	L	R	M	T	O
I	N	E	W	O	E	V	L	D	B	O	O	Y	P	E
N	S	E	T	R	R	D	R	N	C	E	T	N	E	W
E	E	E	C	A	K	U	O	A	E	I	Q	L	C	W
D	L	A	D	P	T	C	D	G	E	X	F	H	E	Z
L	L	V	A	O	I	E	N	R	I	L	I	E	E	M
E	C	U	M	L	K	O	E	O	O	N	L	K	L	J
N	H	E	A	Y	P	M	V	R	T	C	G	I	F	T
N	I	C	S	E	H	Y	O	Z	P	X	C	H	A	X
A	F	C	K	S	H	A	N	T	U	N	G	U	A	F
L	F	S	A	T	E	E	N	G	R	O	G	R	A	M
F	O	C	L	E	L	L	U	T	D	B	J	T	F	T
E	N	I	D	R	A	B	A	G	U	N	N	Y	Q	U

PUZZLE 71

S	F	R	A	H	W	Y	E	G	R	N	B	M	Z	P
F	P	N	I	A	W	T	K	R	A	M	P	I	E	R
W	A	O	M	V	S	H	C	N	A	R	B	S	D	T
N	A	T	C	H	E	Z	E	D	P	P	A	T	N	F
Y	R	T	H	T	D	R	N	R	G	L	I	Y	A	A
J	O	A	E	O	I	R	B	N	M	N	V	D	L	R
M	T	U	B	B	M	A	I	O	L	G	Y	D	S	E
X	E	D	B	D	E	D	N	C	A	E	I	U	I	I
L	O	A	D	I	N	G	H	M	N	T	V	M	V	J
R	N	F	N	U	T	A	B	H	D	N	D	E	O	J
K	K	C	O	D	N	L	S	H	I	E	E	T	E	E
W	U	S	R	N	E	I	J	S	N	R	L	J	O	T
I	O	I	E	R	F	R	E	G	G	R	T	N	C	T
P	F	L	U	A	E	T	A	B	N	U	A	Y	A	Y
T	C	L	F	O	R	K	G	S	K	C	O	R	C	D

PUZZLE 72

E	G	V	G	N	R	B	E	D	I	S	F	F	O	S
L	L	A	I	Y	X	H	E	N	D	Z	O	N	E	E
T	G	D	I	O	C	L	C	J	P	L	K	A	S	P
D	R	L	D	N	L	O	E	U	P	U	S	N	E	Q
Y	C	A	E	U	M	A	N	E	I	O	E	E	S	G
T	K	B	I	P	H	T	T	V	N	F	J	G	S	R
L	S	W	L	N	H	S	L	I	E	T	V	A	O	I
A	E	E	S	L	E	C	C	D	O	R	D	M	L	D
N	T	S	E	D	O	R	T	U	P	N	S	M	U	I
E	A	H	I	R	E	K	C	A	B	E	N	I	L	R
P	C	S	T	S	E	H	K	I	C	K	E	R	O	O
T	K	A	G	C	D	F	U	L	L	B	A	C	K	N
C	L	D	J	O	M	A	E	T	Y	O	R	S	S	Z
T	E	M	W	R	A	K	D	R	A	U	G	S	J	S
B	H	N	L	E	B	L	I	T	Z	K	K	E	B	T

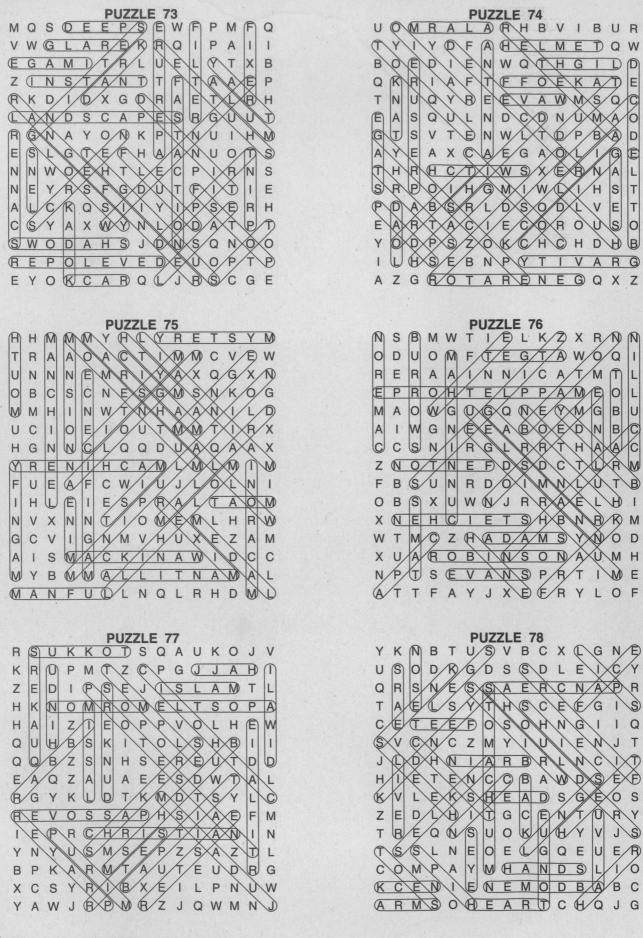

PUZZLE 73

M Q S D E E P S E W F P M F Q
V W G L A R E K R Q I P A I I
E G A M I T R L U E L Y T X B
Z I N S T A N T T F T A A E P
R K D I D X G D R A E T L R H
L A N D S C A P E S R G U U T
R G N A Y O N K P T N U I H M
E S L G T E F H A A N U O T S
N N W O E H T L E C P I R N S
N E Y R S F G D U T F I T I E
A L C K Q S I I Y I P S E R H
C S Y A X W Y N L O D A T P T
S W O D A H S J D N S Q N O O
R E P O L E V E D E U O P T P
E Y O K C A R Q L J R S C G E

PUZZLE 74

U O M R A L A R H B V I B U R
T Y I Y D F A H E L M E T Q W
B O E D I E N W Q T H G I L D
Q K R I A F T F F O E K A T E
T N U Q Y R E E V A W M S Q C
E A S Q U L N D C D N U M A O
G T S V T E N W L T D P B A D
A Y E A X C A E G A O L I G E
T H R H C T I W S X E R N A L
S R P O I H G M I W L I H S T
P D A B S R L D S O D L V E T
E A R T A C I E C O R O U S O
Y O D P S Z O K C H C H D H B
I L H S E B N P Y T I V A R G
A Z G R O T A R E N E G Q X Z

PUZZLE 75

H H M M M Y H L Y R E T S Y M
T R A A O A C T I M M C V E W
U N N N E M R I Y A X Q G X N
O B C S C N E S G M S N K O G
M M H I N W T N H A A N I L D
U C I O E I O U T M M T I R X
H G N N C L Q Q D U A Q A A X
Y R E N I H C A M L M L M I M
F U E A F C W I U J L O L N I
I H L E I E S P R A L T A O M
N V X N N T I O M E M L H R W
G C V I G N M V H U X E Z A M
A I S M A C K I N A W I D C C
M Y B M M A L L I T N A M A L
M A N F U L L N Q L R H D M L

PUZZLE 76

N S B M W T I E L K Z X R N N
O D U O M F T E G T A W O Q I
R E R A A I N N I C A T M T L
E P R O H T E L P P A M E O L
M A O W G U G Q N E Y M G B U
A I W G N E E A B O E D N B C
C C S N I R G L R R T H A A C
Z N O T N E F D S D C T L R M
F B S U N R D O I M N L U T B
O B S X U W N J R R A E L H I
X N E H C I E T S H B N R K M
W T M C Z H A D A M S Y N O D
X U A R O B I N S O N A U M H
N P T S E V A N S P R T I M E
A T T F A Y J X E F R Y L O F

PUZZLE 77

R S U K K O T S Q A U K O J V
K R U P M T Z C P G J J A H I
Z E D I P S E J I S L A M T L
H K N O M R O M E L T S O P A
H A I Z I E O P P V O L H E W
Q U H B S K I T O L S H B I I
Q Q B Z S N H S E R E U T D D
E A Q Z A U A E E S D W T A L
R G Y K L D T K M D T S Y L C
R E V O S S A P H S I A E F M
I E P R C H R I S T I A N I N
Y N Y U S M S E P Z S A Z T L
B P K A R M T A U T E U D R G
X C S Y R I B X E I L P N U W
Y A W J R P M R Z J Q W M N J

PUZZLE 78

Y K N B T U S V B C X L G N E
U S O D K G D S S D L E I C Y
Q R S N E S S A E R C N A P R
T A E L S Y T H S C E F G I S
C E T E E F O S O H N G I I Q
S V C N C Z M Y I U I E N J T
J L D H N I A R B R L N C I T
H I E T E N C C B A W D S E F
K V L E K S H E A D S G E O S
Z E D L H I T G C E N T U R Y
T R E Q N S U O K U H Y V J S
T S S L N E O E L G Q E U E R
C O M P A Y M H A N D S L I O
K C E N I E N E M O D B A B C
A R M S O H E A R T C H Q J G

PUZZLE 79

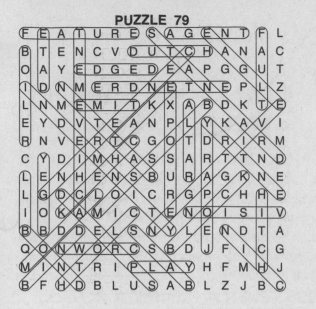

F	E	A	T	U	R	E	S	A	G	E	N	T	F	L
B	T	E	N	C	V	D	U	T	C	H	A	N	A	C
O	A	Y	E	D	G	E	D	E	A	P	G	G	U	T
I	D	N	M	E	R	D	N	E	T	N	E	P	L	Z
L	N	M	E	M	I	T	K	X	A	B	D	K	T	E
E	Y	D	V	T	E	A	N	P	L	Y	K	A	V	I
R	N	V	E	R	T	C	G	O	T	D	R	I	R	M
C	Y	D	I	M	H	A	S	S	A	R	T	T	N	D
L	E	N	H	E	N	S	B	U	R	A	G	K	N	E
L	G	D	C	L	O	I	C	R	G	P	C	H	H	E
I	O	K	A	M	I	C	T	E	N	O	I	S	I	V
B	B	D	D	E	L	S	N	Y	L	E	N	D	T	A
Q	O	N	W	O	R	C	S	B	D	J	F	I	C	G
M	I	N	T	R	I	P	L	A	Y	H	F	M	H	J
B	F	H	D	B	L	U	S	A	B	L	Z	J	B	C

PUZZLE 80

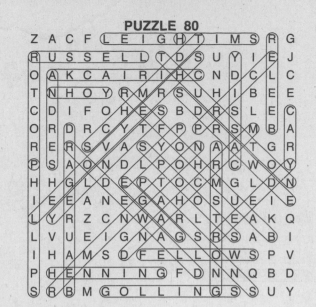

Z	A	C	F	L	E	I	G	H	T	I	M	S	R	G
R	U	S	S	E	L	L	T	D	S	U	Y	I	E	J
O	A	K	C	A	I	R	I	H	C	N	D	C	L	C
T	N	H	O	Y	R	M	R	S	U	H	I	B	E	E
C	D	I	F	O	H	E	S	B	D	R	S	L	E	C
O	R	D	R	C	Y	T	F	P	P	R	S	M	B	A
R	E	R	S	V	A	S	Y	O	N	A	A	T	G	R
P	S	A	O	N	D	L	P	O	H	R	C	W	O	Y
H	H	G	L	D	E	P	T	O	C	M	G	L	D	N
I	E	E	A	N	E	G	A	H	O	S	U	E	I	E
L	Y	R	Z	C	N	W	A	R	L	T	E	A	K	Q
L	V	U	E	I	G	N	A	G	S	R	S	A	B	I
I	H	A	M	S	D	F	E	L	L	O	W	S	P	V
P	H	E	N	N	I	N	G	F	D	N	N	Q	B	D
S	R	B	M	G	O	L	L	I	N	G	S	S	U	Y